Prohibido enamorarse
MICHELLE CELMER

Editado por HARLEQUIN IBÉRICA, S.A.
Núñez de Balboa, 56
28001 Madrid

I.S.B.N.: 978-84-687-2757-8
Depósito legal: M-6391-2013
Editor responsable: Luis Pugni
Fotomecánica: M.T. Color & Diseño, S.L. Las Rozas (Madrid)
Impresión en Black print CPI (Barcelona)
Fecha impresion para Argentina: 4.11.13
Distribuidor exclusivo para España: LOGISTA
Distribuidor para México: CODIPLYRSA
Distribuidores para Argentina: interior, BERTRAN, S.A.C. Vélez
Sársfield, 1950. Cap. Fed./ Buenos Aires y Gran Buenos Aires,
VACCARO SÁNCHEZ y Cía, S.A.

Capítulo Uno

Desde el avión, la costa de Varieo, con su mar azul y sus playas de arena blanca, parecía el paraíso.

A sus veinticuatro años, Vanessa Reynolds había vivido en más continentes y en más ciudades de los que visitaba la mayoría de la gente en toda su vida; era lo normal, siendo hija de un militar. Pero esperaba que aquel pequeño principado de la costa mediterránea se convirtiese en su hogar para siempre.

–Ya estamos aquí, Mia –le susurró a su hija de seis meses, que después de pasar la mayor parte del larguísimo viaje entre sueños inquietos y gritos de pavor, había sucumbido por fin al agotamiento y dormía plácidamente en la silla de seguridad.

El avión descendió por fin hacia la pista privada donde los recibiría Gabriel, su… Resultaba un poco infantil llamarlo novio, teniendo en cuenta que tenía cincuenta y seis años, pero tampoco era exactamente su prometido. Por lo menos por el momento. Al preguntarle si quería casarse con él, ella no había dicho que sí, pero tampoco había dicho que no. Eso era lo que debía determinar aquella visita, si quería casarse con un hombre que no solo era treinta y dos años mayor que ella y vivía en la otra punta del mundo, sino que además era rey.

Miró por la ventana y, a medida que se acercaban, se ponía más nerviosa.

«Vanessa, ¿en qué te has metido esta vez?».

Su padre le habría dicho que estaba cometiendo
otro gran error. Su mejor amiga, Jessy, también había cuestionado su decisión.

Vanessa era perfectamente consciente de que estaba corriendo un riesgo. Esa clase de riesgos ya le
había salido mal otras veces, pero Gabriel era todo
un caballero y realmente se preocupaba por ella. Él
jamás le robaría el coche y la dejaría abandonada
en una cafetería en medio del desierto de Arizona.
Nunca solicitaría una tarjeta de crédito a su nombre y se gastaría todo el dinero. No fingiría que sentía algo por ella solo para que le escribiera el trabajo de final de curso de Historia de los Estados
Unidos y luego la dejaría por una animadora. Y desde luego, jamás desaparecería después de dejarla
embarazada y sola.

Las ruedas del avión tocaron el suelo y Vanessa
sintió que el corazón se le subía a la garganta. Sentía nervios, impaciencia, alivio y, por lo menos, una
docena más de emociones.

El avión recorría la pista camino a la pequeña
terminal privada propiedad de la familia real.

Gabriel no la veía como una mujer florero. Se
habían hecho buenos amigos, confidentes. Él la
amaba y ella no tenía la menor duda de que era un
hombre de palabra. Solo había un pequeño problema, aunque lo respetaba profundamente y lo quería mucho como amigo, no podía decir que estuvie-

se enamorada de él. Gabriel era consciente de ello, pero estaba seguro de que con el tiempo, las seis semanas que iba a durar aquella visita, Vanessa acabaría amándolo. No tenía ninguna duda de que juntos serían felices para siempre y no era un hombre que se tomara a la ligera la sagrada institución del matrimonio.

Había estado casado durante tres décadas con su primera mujer y, según decía, habrían seguido juntos otras tres si no se la hubiese llevado un cáncer hacía ocho meses.

En cuanto se detuvo el avión, Vanessa encendió el teléfono y le envió un mensaje a Jessy para que supiera que habían llegado bien. Después, desabrochó los cierres de seguridad de la sillita que le había comprado Gabriel a Mia y la abrazó con fuerza, sumergiéndose en su dulce aroma de bebé.

–Ya hemos llegado, Mia. Aquí empieza nuestra nueva vida.

Según su padre, Vanessa había transformado en arte la costumbre de cometer errores y tomar decisiones equivocadas, pero ahora todo era distinto. Ella era distinta, y todo gracias a su hija. Había sido duro enfrentarse sola a ocho meses de embarazo, durante los que le había aterrado la idea de traer al mundo a alguien que iba a depender completamente de ella. Había habido momentos en los que no había estado segura de poder hacerlo o de estar preparada para semejante responsabilidad, pero en cuanto había visto a Mia y la había tenido en sus brazos después de veintiséis horas de parto, se había enamorado locamente. Por primera vez en su vida, Vanessa había sentido que tenía una misión: debía cuidar de su hija y procurarle una existencia feliz. Esa era ahora su máxima prioridad.

Lo que más deseaba en el mundo era que Mia tuviese un hogar estable, con un padre y una madre, y casándose con Gabriel podría garantizarle a su hija oportunidades con las que ella jamás habría soñado. ¿No era motivo más que suficiente para casarse con un hombre que no... no la volvía loca? ¿No eran más importante el respeto y la amistad?

Al mirar por la ventana vio una limusina que acababa de detenerse a unos cien metros del avión.

Gabriel, pensó con una mezcla de alivio y emoción. Había ido a recibirla tal como le había prometido.

Agarró el bolso y a Mia y la azafata se hizo cargo de todo lo demás.

Allí estaba, empezando una nueva vida. Otra vez.

El piloto abrió la puerta del avión, dejando que entrara una bocanada de aire caliente cargado de olor a mar.

Salió del avión, el sol de la mañana brillaba con fuerza y el asfalto del suelo desprendía un calor asfixiante.

Se abrió la puerta de la limusina y a Vanessa se le aceleró el pulso al ver que asomaba un carísimo zapato, seguramente italiano, contuvo la respiración hasta ver al propietario de dicho calzado... momento en el que soltó el aire con profunda decepción. Aquel hombre tenía los mismos rasgos marcados, los mismos ojos de mirada profunda y expresiva que Gabriel, pero no era Gabriel.

Aunque no hubiese pasado horas leyendo cosas sobre el país, habría sabido instintivamente que el guapísimo caballero que iba en ese momento hacia ella era el príncipe Marcus Salvatora, el hijo de Gabriel. Era exacto a las fotos que había visto de él: oscuramente intenso y demasiado serio para tener solo veintiocho años. Vestido con unos pantalones grises y una camisa blanca que resaltaba el tono aceitunado de su piel y el negro de su cabello ondulado, parecía más un modelo que un heredero al trono.

Vanessa miró al interior del vehículo con la esperanza de ver alguien más, pero estaba vacío. Gabriel había prometido que iría a buscarla, pero no lo había hecho.

Se le llenaron los ojos de lágrimas. Necesitaba a Gabriel. Él tenía la habilidad de hacerle sentir que todo iba a ir bien.

«Nunca muestres debilidad». Eso era lo que le había repetido su padre desde que Vanessa tenía uso de razón. Así pues, respiró hondo, cuadró los hombros y saludó al príncipe con una sonrisa en los labios y una inclinación de cabeza.

—Señorita Reynolds —le dijo él al tiempo que le tendía la mano para saludarla.

Vanessa se cambió de lado a Mia, que sollozaba suavemente, para poder darle la mano a Marcus.

—Alteza, es un placer conocerlo por fin —dijo—. He oído hablar mucho de usted.

Marcus le estrechó la mano con firmeza y mirándola a los ojos fijamente. Estuvo tanto tiempo mirándola y con tal intensidad, que Vanessa empezó a preguntarse si pretendía retarla a un pulso, a un duelo o a algo parecido. Tuvo que resistirse al impulso de retirar la mano mientras empezaba a sudar bajo la blusa y cuando por fin la soltó, Vanessa notó un extraño hormigueo en la piel que él le había tocado.

«Es el calor», pensó. ¿Cómo podía tener ese aspecto tan pulcro y fresco mientras ella se derretía?

—Mi padre le envía sus más sinceras disculpas —la informó con una voz profunda y suave que se parecía mucho a la de su padre—. Ha tenido que salir del país inesperadamente. Por un asunto familiar.

¿Salir del país? Se le cayó el alma a los pies.

—¿Ha dicho cuándo vuelve?

—No, pero me pidió que le dijera que la llamaría.

¿Cómo había podido dejarla sola en un palacio lleno de desconocidos? Tenía un nudo en la garganta y unas ganas tremendas de llorar.

Si hubiese tenido pañales y leche suficientes para hacer el viaje de regreso a Estados Unidos, seguramente se habría planteado la posibilidad de volver a subirse al avión y volver a casa.

Mia se echó a llorar y Marcus enarcó una ceja.

—Esta es Mia, mi hija.

Al oír su nombre, la pequeña levantó la cabeza del hombro de Vanessa y miró a Marcus con unos enormes ojos azules llenos de curiosidad, y el cabello rubio pegado a las mejillas por culpa de las lágrimas. Normalmente tenía cierto miedo a los desconocidos, por lo que Vanessa se preparó para los gritos, pero en lugar de estallar de nuevo, le dedicó a Marcus una enorme sonrisa que dejó ver sus dos únicos dientes y con la que podría haberle derretido el corazón hasta al más impasible. Quizá como se parecía tanto a Gabriel, al que Mia adoraba, la niña confiaba en él de manera instintiva.

Como si fuera algo contagioso, Marcus no pudo resistirse a dedicarle una sonrisa. Vanessa sintió ese placentero vértigo que notaba una mujer cuando se sentía atraída por alguien. Algo que, lógicamente, la horrorizó e hizo que se sintiera culpable. ¿Qué clase de depravada se sentía atraída por su futuro hijo político?

Debía de estar más cansada de lo que pensaba porque estaba claro que no pensaba con claridad.

Al volver a mirarla a ella, Marcus dejó de sonreír.

—¿Vamos?

Vanessa asintió al tiempo que se aseguraba a sí misma que todo iba a ir bien, pero al entrar a la limusina, no pudo evitar preguntarse si no se estaría metiendo en algo que quizá no pudiera controlar.

Era incluso peor de lo que la había imaginado.

Sentado frente a ella, Marcus observó a su nueva rival, la mujer que se las había arreglado para cautivar a su padre solo ocho semanas después de la muerte de la reina.

9

Al principio, cuando su padre se lo había contado, Marcus había creído que había perdido la cabeza. Era demasiado joven y apenas la conocía. Pero ahora, viéndola cara a cara, no había duda de por qué el rey estaba tan fascinado con ella. Tenía el pelo de un rubio natural, la figura de una modelo y un rostro que podría haber inspirado a Leonardo da Vinci o a Tiziano.

Al verla salir del avión, con la mirada confusa y un bebé contra el pecho, había albergado la esperanza de que tuviera el cerebro tan hueco como algunas de esas rubias que aparecían en los *realities* estadounidenses, pero entonces la había mirado a los ojos y había visto la indudable inteligencia que había en ellos. Inteligencia y cierta desesperación.

Tenía un aspecto tan desaliñado y exhausto que, muy a su pesar, no pudo evitar sentir lástima por ella. Pero eso no cambiaba el hecho de que fuera el enemigo.

La niña siguió sollozando en su sillita y luego soltó un chillido tan agudo que hizo que le pitaran los oídos.

–Tranquila, mi amor –le dijo agarrando la manita a su hija, y luego miró a Marcus–. Lo siento mucho. Normalmente es muy tranquila.

Siempre le habían gustado los niños. Algún día tendría hijos puesto que, como único heredero, era responsabilidad suya perpetuar el legado de la familia Salvatora.

Claro que eso podría cambiar. Con una mujer tan joven, su padre podría tener más hijos.

La idea de que su padre tuviese hijos con otra mujer era como una patada en la boca del estómago.

La señorita Reynolds se agachó para sacar de una de sus bolsas un biberón con algo que parecía zumo y se lo dio a su hija. La pequeña se lo metió en la boca, lo chupó unos segundos, luego hizo un mohín y lo tiró, el biberón le dio a Marcus en el pie.

—Lo siento —volvió a decir mientras su hija se echaba a llorar de nuevo.

Él agarró el biberón y se lo dio.

Entonces ella sacó un juguete con el que tratar de entretenerla, pero después de mirarlo un rato, la niña lo tiró también y esa vez le dio a Marcus en la pierna. Tampoco funcionó un segundo juguete.

—Lo siento —repitió ella.

Marcus le dio los dos juguetes, tras lo cual se quedaron en silencio durante unos incómodos minutos, hasta que ella le dijo:

—¿Siempre es usted tan hablador?

No tenía nada que decirle a aquella mujer, pero, en cualquier caso, habría tenido que decírselo a gritos para que pudiera oírlo con los chillidos de su hija.

Al ver que él no respondía, ella siguió hablando con evidente nerviosismo.

—No sabe lo impaciente que estaba por llegar y poder conocerlo. Gabriel me ha hablado mucho de usted y de Varieo.

Marcus no compartía tal entusiasmo y no tenía intención de fingir que era así. Tampoco creía que ella fuese sincera. No hacía falta ser un genio para darse cuenta de por qué estaba allí, que lo que le había atraído de su padre era su dinero y su posición social.

Volvió a intentarlo con el biberón y esa vez la niña lo agarró, bebió durante un rato y entonces empezaron a cerrársele los ojos.

–No ha dormido bien durante el vuelo –le explicó, como si a él pudiera importarle–. Además todo esto es nuevo para ella. Supongo que va a necesitar un poco de tiempo para acostumbrarse a vivir en otra parte.

–¿El padre de la niña no ha puesto ninguna objeción a que usted se la llevara a otro país? –no pudo evitar preguntarle.

–Su padre me dejó cuando se enteró de que estaba embarazada y no he sabido nada de él desde entonces.

–¿Está usted divorciada?

Ella negó con la cabeza.

–No estábamos casados.

Estupendo. Otro punto negativo en su contra. Por si el divorcio no fuera lo bastante malo, su padre se había buscado una mujer que había tenido una hija sin estar casada. ¿En qué demonios estaba pensando? ¿Realmente creía que Marcus daría su aprobación a que entrara en la familia alguien así?

Se le debió de reflejar la desaprobación en la cara porque Vanessa lo miró a los ojos y le dijo:

–Alteza, yo no me avergüenzo de mi pasado. Aunque puede que las circunstancias no fueran ideales, Mia es lo mejor que me ha pasado nunca y por eso no me arrepiento de nada.

No tenía pelos en la lengua. Quizá no fuera la mejor característica para una futura reina, aunque no podía negar que su madre siempre había sido famosa por no tener el menor reparo en decir su opinión, algo de lo que habían aprendido muchas mujeres jóvenes del país. Sin embargo había una clara diferencia entre tener principios y ser irresponsable. Además, se le revolvía el estómago solo de pensar que aquella mujer pudiera pensar que estaría a la altura de la difunta reina o que albergara la esperanza de sustituirla.

Solo esperaba que su padre recuperara la cordura antes de que fuera demasiado tarde, antes de que hiciera la ridiculez de casarse con ella. Por mucho que deseara lavarse las manos y desentenderse de todo, le había prometido a su padre que se encargaría de recibirla y de ayudarla a instalarse. Y él era un hombre de palabra. Para él el honor no era solo una virtud, era una obligación. Era lo que le había enseñado su madre. Aunque todo tenía un límite.

—Su pasado —comenzó a decirle—, es algo que les concierne a mi padre y a usted.

—Pero es evidente que usted ya se ha formado una opinión al respecto. Quizá debería intentar conocerme mejor antes de juzgarme.

Marcus se inclinó hacia delante y la miró a los ojos, para que no hubiera la menor duda sobre su sinceridad.

13

–No tengo intención de perder el tiempo.

Ella ni siquiera se inmutó. Le mantuvo la mirada con un fuego en los ojos que daba a entender que no iba a dejarse intimidar, y él sintió… algo. Una emoción a medio camino entre el odio y el deseo. Lo que le horrorizó fue el deseo, que fue como una bofetada en la cara.

Y entonces Vanessa tuvo la audacia de sonreír, algo que le enfureció y le fascinó al mismo tiempo.

–Muy bien –dijo ella encogiéndose de hombros.

El gesto hacía pensar que o no le creía, o no le importaba lo que dijera.

A él le daba igual cuál de las cosas fuera. Toleraría su presencia por respeto a su padre, pero jamás la aceptaría.

Con una incomodidad que no estaba acostumbrado a sentir, sacó el teléfono móvil como si ella no estuviera allí. Por primera vez desde la muerte de su madre, su padre parecía feliz de verdad y eso era algo que Marcus nunca querría negarle. Pero solo porque pensaba que no iba a durar.

Con un poco de suerte su padre abriría los ojos y la enviaría de regreso al lugar del que había venido antes de que fuera demasiado tarde.

Capítulo Dos

La visita a Varieo iba de mal en peor.

Mia dormía en el coche y Vanessa estaba sentada a su lado con el estómago atenazado por el temor. Parecía que Marcus ya se había formado una opinión sobre ella y no pensaba darle la menor oportunidad. La idea de estar sola con él hasta que regresase Gabriel la tensaba aún más.

Con un poco más de perspectiva, seguramente no había estado muy acertada al enfrentarse a él de manera tan directa. Siempre había sido una mujer de fuertes convicciones, pero, la mayoría de las veces, se las arreglaba para controlarse. Sin embargo la mirada de arrogancia que le había dedicado Marcus, el engreimiento que parecía supurarle por todos los poros, habían hecho que perdiera los nervios y, antes de que pudiera pararse a pensarlo, había abierto la boca y había soltado aquellas palabras.

Lo miró apenas un instante y comprobó que seguía concentrado en el teléfono. En una escala de uno a diez, tenía por lo menos un quince en lo que se refería al aspecto. Lástima que no tuviera una personalidad acorde a tanta belleza.

Hacía apenas diez minutos que lo conocía. ¿Acaso no estaba llegando a conclusiones apresuradas, y eso hacía que no fuera mejor que él.

Era cierto que se comportaba como un cretino, pero quizá tuviera una buena razón para hacerlo. Si su padre le comunicase que tenía intención de casarse con una mujer mucho más joven a la que ella ni siquiera conocía, probablemente ella también se mostraría desconfiada. Y si su padre fuese un rey millonario, sin duda cuestionaría los motivos que impulsaban a dicha mujer a querer casarse con él. Probablemente Marcus solo estaba preocupado por su padre, como lo estaría cualquier hijo. Y Vanessa no debía olvidar que además hacía menos de un año que había perdido a su madre y, por lo que le había dado a entender Gabriel, Marcus se había tomado muy mal su muerte. Era lógico que aún le doliera y que temiera que ella pretendiera ocupar el lugar de la reina, lo que no podía estar más lejos de la verdad.

Pero, ¿y si el rechazo que sentía hacia ella impulsaba a Marcus a intentar interponerse entre Gabriel y ella? Tendría que plantearse si quería vivir sintiéndose siempre como una intrusa en su propia casa.

El corazón empezó a latirle con tal fuerza que tuvo que obligarse a respirar hondo e intentar relajarse. Estaba adelantándose a los acontecimientos. Ni siquiera estaba segura de querer casarse con Gabriel. ¿Acaso no era ese el objetivo del viaje? Seis semanas era mucho tiempo, durante el que podrían pasar muchas cosas. Por el momento trataría de no preocuparse.

Esbozó una ligera sonrisa y sintió cierta paz interior mientras miraba por la ventanilla. La limusina estaba atravesando el precioso pueblo costero de Bocas, de calles empedradas y llenas de turistas. Según le había contado Gabriel, gran parte de la economía nacional dependía del turismo, que había aumentado exponencialmente en los últimos años.

Se aproximaron a unas puertas que se abrieron de inmediato y, al aparecer el palacio ante ellos, Vanessa se quedó sin aliento. Parecía un oasis, enormes fuentes, grandes praderas de césped y jardines frondosos.

Las cosas empezaban a mejorar.

Se volvió hacia Marcus; parecía impaciente por salir del coche y librarse de ella.

–Tienen una residencia preciosa –le dijo.

–¿Acaso esperaba que no fuera así? –respondió él.

Eso sí que era estar a la defensiva.

–Lo que quería decir es que las fotos que he visto del palacio no le hacen justicia. Es muy emocionante verlo en persona.

–Ya me imagino –respondió sin ocultar su sarcasmo.

Parecía que no estaba dispuesto a darle ni un respiro.

Vanessa respiró hondo mientras el coche se acercaba a los increíbles escalones de mármol de la entrada principal, flanqueada por columnas. Con más de veinte mil metros cuadrados, el palacio era más grande que la Casa Blanca.

Marcus salió de la limusina en cuanto se abrió la puerta y fue el chófer el que ayudó a Vanessa, que salió con la niña dormida en brazos y siguió a Marcus. Él la esperaba junto a las enormes puertas dobles del palacio, tras las cuales pudo descubrir que el interior era tan impresionante como el exterior, con un vestíbulo circular de resplandecientes suelos de mármol. Del techo pendía una gigantesca araña cuyos cristales parecían diamantes en los que se reflejaba el sol. A cada lado y siguiendo el trazado curvo de las paredes, había una escalera con barandilla de hierro forjado que ascendía al segundo piso. En el centro del vestíbulo había una mesa de mármol tallado con un enorme centro de flores exóticas que inundaban el aire con su dulce fragancia. El conjunto era una mezcla de tradición y modernidad, elegante y algo excesivo.

Fue entonces, mientras observaba el entorno maravillada, cuando Vanessa se dio cuenta de verdad de la situación en la que se encontraba. Empezó a darle vueltas la cabeza y se le aceleró el corazón. Aquel lugar tan impresionante podría convertirse en su casa, Mia podría crecer allí y tener lo mejor de lo mejor y, lo que era más importante, un hombre que la aceptaría como si fuera su hija. Solo eso era como un sueño hecho realidad.

Del pasillo que había al fondo del vestíbulo comenzaron a salir casi una docena de empleados que Marcus fue presentándole. Celia, el ama de llaves, le presentó a las empleadas:

—Esta es Camille —le dijo Celia con un tono de

voz gris que encajaba a la perfección con su adusta expresión–. Será su doncella personal durante el tiempo que dure su estancia.

–Encantada de conocerte, Camille –le dijo con una sonrisa en los labios y tendiéndole la mano a la muchacha.

La joven la aceptó con gesto nervioso y la mirada clavada en el suelo.

–Señora –murmuró.

El mayordomo, George, llevaba frac y camisa blanca de cuello rígido. Era muy flaco, con la espalda algo encorvada y parecía estar a punto de alcanzar los cien años, si no lo había hecho ya.

Marcus se volvió hacia George y le señaló el equipaje que había llevado el chófer hasta allí. Sin decir una palabra, otros dos empleados más jóvenes se pusieron en acción.

Una mujer de mediana edad y aspecto elegante dio un paso al frente y se presentó como Tabitha, secretaria personal del rey.

–Si necesita cualquier cosa, no dude en decírmelo –le dijo con absoluta corrección y luego señaló a la joven que había a su lado, ataviada con un uniforme parecido al de las doncellas–. Esta es Karin, la niñera. Ella cuidará de su hija.

A Vanessa le incomodaba un poco la idea de dejar a Mia con una completa desconocida, pero sabía que Gabriel jamás habría elegido a alguien en quien no confiara plenamente.

–Es un placer conocerla –dijo Vanessa, conteniéndose para no pedirle que le enumerara todos y cada uno de los méritos que la hacían merecedora del puesto.

—Señora —la saludó la joven.

—Llámame Vanessa, por favor. Lo cierto es que nunca he sido muy dada a la formalidad, así que les pediría a todos que me tutearan.

Sus palabras no obtuvieron respuesta ni reacción alguna por parte de los empleados. Ninguno de ellos esbozó siquiera una sonrisa. ¿Serían siempre tan inexpresivos o sería porque ella no era de su agrado? ¿Habrían decidido ya, igual que Marcus, que no era de fiar?

—La llevaré a sus habitaciones —le anunció Marcus.

Sin esperar una respuesta, se dio media vuelta y comenzó a subir por la escalera de la izquierda a una velocidad que casi la obligó a echar a correr para no perderlo.

Marcus la llevó por un largo pasillo alfombrado.

—¿El personal de servicio siempre es tan alegre? —le preguntó.

—¿No le basta con que vayan a estar pendientes de todos sus caprichos? —respondió Marcus sin mirarla—. ¿Además tienen que hacerlo con alegría?

Giraron a la derecha al final del pasillo, donde él abrió la primera puerta de la izquierda. Gabriel le había dicho que ocuparía la habitación de invitados más grande, pero Vanessa no había imaginado que tuviera semejantes dimensiones. La suite presidencial del hotel en el que trabajaba parecía un agujero en comparación con aquella estancia. La habitación principal era un espacio amplio de techos altos y grandes ventanales, decorado en distintos tonos de amarillo y verde. Había una zona de estar con sillones colocados frente a una enorme chimenea. También había una zona de comedor y otra de trabajo, con un escritorio y unas estanterías abarrotadas de libros.

–Qué bonito –dijo–. El amarillo es mi color preferido.

–El dormitorio está por allí –Marcus le señalo la puerta que había al fondo.

Apenas abrió dicha puerta, Vanessa se quedó asombrada. La habitación era puro lujo, con una enorme cama con dosel, otra chimenea y una televisión gigantesca. Lo que no vio fue la cuna que le había prometido Gabriel.

Empezaban a dolerle los brazos de cargar con el peso de Mia, por lo que la dejó en el centro de la cama, rodeada de almohadones por todas partes, por si se daba la vuelta. La pequeña ni se inmutó con el cambio. De vuelta a la sala de estar, Vanessa vio un vestidor en el que habrían cabido cuatro armarios como el que ella tenía en casa; y el baño, con bañera y ducha, tenía todas las comodidades que una pudiera desear.

Encontró a Marcus de pie junto a la puerta, cruzado de brazos y mirando el reloj con impaciencia.

–Gabriel me dijo que habría una cuna para Mia, pero no la he visto. Se mueve mucho mientras duerme, así que no puede dormir en una cama, y menos en una tan alta como esa.

–La habitación infantil está al final del pasillo –se limitó a decirle como si fuera algo obvio.

–Entonces espero que haya un intercomunicador para que pueda oírla si se despierta por la noche.

–De eso se encarga la niñera –dijo, perplejo.

–¿Y dónde duerme la niñera? –preguntó de todos modos.

–En la habitación que está al lado de la infantil –seguía respondiendo en un tono que daba a entender que sus preguntas eran absurdas.

Seguramente en su mundo era perfectamente normal que los niños quedaran al cuidado del personal de servicio, pero ella no vivía en ese mundo. Ni mucho menos. Y él debía de saberlo.

Tendría que pensar si quería que la niñera se hiciese cargo de Mia por las noches. No quería poner dificultades, ni ofender a Karin, que seguramente fuera toda una profesional, pero Vanessa no corría el menor riesgo cuando se trataba de Mia. Si era necesario, le pediría a Marcus que trasladaran la cuna a su dormitorio y, si ponía algún impedimento, dormiría en la habitación infantil hasta que regresara Gabriel.

–Si no necesita nada más –le dijo Marcus, dándose ya media vuelta.

Pero Vanessa no iba a dejarlo libre todavía.

–¿Y si necesito algo? –le preguntó–. ¿Cómo hago para encontrar a alguien?

–En el escritorio encontrará un teléfono y un listado con las extensiones.

–¿Y cómo sé a quién llamar?

–Si quiere comer o beber algo, tiene que llamar a la cocina. Si necesita toallas o sábanas limpias, llame a la lavandería… ya sabe.

–Y si necesito hablar con usted. ¿Su teléfono también está en la lista?

–No, y si lo estuviera, tampoco estaría disponible.

–¿Nunca?

Vio cómo apretaba la mandíbula.

–Cuando mi padre no está, debo estar al servicio de mi país.

–Marcus –le dijo en un tono de voz que esperaba transmitiera sinceridad–, sé cómo se siente, pero…

–Usted no tiene la menor idea de lo que siento –la interrumpió en un tono tan duro que hizo que Vanessa diera un paso atrás–. Mi padre me pidió que la ayudara a instalarse y eso es lo que he hecho. Ahora, si no quiere nada más.

Entonces se oyó carraspear a alguien y ambos miraron a la puerta. Allí estaba la niñera.

–Las dejo para que puedan hablar –dijo Marcus antes de escapar a toda prisa.

Y se llevó consigo cualquier esperanza que Vanessa hubiera podido albergar de llevarse bien con él.

–Pasa –le dijo a Karin.

La muchacha entró con gesto nervioso.

–¿Quiere que me lleve a Mia para que pueda descansar?

Lo cierto era que estaba agotada y le costaría

más descansar teniendo a Mia en la cama, pues no podría dejar de pensar en que la niña podía caerse de la cama mientras ella dormía. Y lo que menos necesitaba en esos momentos era que Marcus pensara que, además de ser una cazafortunas, también era mala madre.

–La verdad es que me vendría bien echarme una siesta –reconoció–. Pero me gustaría que me la trajeras si se despierta llorando. Se va a sentir muy desorientada cuando despierte en un lugar totalmente nuevo y vea a alguien que no conoce.

–Muy bien, señora.

–Llámame Vanessa, por favor.

Karin asintió, pero era evidente que le incomodaba la idea.

–Mia está dormida en la cama. ¿Qué te parece si la llevo yo y así veo dónde está la habitación?

La niñera volvió a asentir.

Tampoco ella parecía muy habladora.

Dejó a Mia en la cuna y la tapó con una manta. La niña estaba tan cansada que ni se movió.

Ya en su suite, miró el teléfono móvil para ver si tenía alguna llamada, pero no había ninguna. Llamó al móvil de Gabriel y le dejó un mensaje en el buzón de voz.

Dejó el teléfono en la mesilla de noche, se tumbó y cerró los ojos. Cuando volvió a abrirlos, estaba todo oscuro.

***

Después de salir de la habitación de la señorita Reynolds, Marcus pasó por su despacho, donde su ayudante, Cleo, estaba sentada frente al ordenador jugando al solitario.

—¿Se sabe algo de mi padre? —le preguntó.

La secretaria meneó la cabeza sin apartar la mirada del ordenador.

—Me alegra comprobar lo bien que aprovechas el tiempo —le dijo bromeando.

Ella ni siquiera parpadeó y mucho menos apartó la mirada de las cartas de la pantalla.

—Estos juegos mantienen ágil la mente.

Con casi setenta años, nadie se habría atrevido a decir que la mente de Cleo no era ágil. Llevaba trabajando para la familia real desde 1970 y había sido también la secretaria de la reina. Todo el mundo creía que se jubilaría tras la muerte de la reina, pero no. Aseguraba que el trabajo la mantenía joven y, dado que su esposo había fallecido hacía dos años, Marcus imaginaba que se sentiría sola.

—¿Está cansado? —le preguntó al mirarlo y verlo bostezar.

Después de todo un mes luchando con el insomnio, siempre estaba cansado y no estaba de humor para otro sermón.

—Estoy seguro de que dormiré como un bebé en cuanto se vaya.

—¿Tan mala es?

—Es horrible.

—¿Lo sabe después de pasar con ella... treinta minutos?

–Lo supe en cuanto la vi bajar del avión.

–¿Y en qué se basa?

–Solo quiere su dinero.

Cleo enarcó una ceja.

–¿Se lo ha dicho ella?

–No es necesario que lo haga. Es joven, guapa y madre soltera. ¿Qué otra cosa podría querer de un hombre de la edad de mi padre?

–Para su información, Alteza, un hombre con cincuenta y seis años no es tan viejo.

–Para ella sí.

–Su padre es un hombre atractivo y encantador. ¿Quién dice que no pueda haberse enamorado de él?

–¿En solo unas semanas?

–Yo me enamoré de mi marido en nuestra primera cita. No subestime el poder de la atracción.

Marcus apretó los dientes. La idea de que su padre y esa mujer… ni siquiera quería pensar en ello. No tenía la menor duda de que ella lo había seducido. Así era como actuaban las de su clase. Lo sabía por experiencia, él mismo lo había sufrido. Y su padre, a pesar de su firme integridad moral, era tan vulnerable a sufrirlo como cualquier otro.

–¿Es muy atractiva? –le preguntó Cleo.

Por mucho que deseara decir lo contrario, no podía negar su belleza.

–Sí. Pero tuvo una hija sin estar casada.

Cleo abrió la boca con fingida sorpresa.

–¡Que le corten la cabeza!

Marcus le lanzó una mirada heladora.

–¿Se acuerda en qué siglo estamos? Los derechos de las mujeres, la igualdad y todas esas cosas.

–Sí, pero mi padre es un hombre muy tradicional. No es propio de él. Lo que ocurre es que se siente solo, echa de menos a mi madre y por eso no piensa con claridad.

–Me parece que lo está subestimando. El rey es muy inteligente.

Eso era cierto, pero también era obvio que estaba confuso. Nadie podría convencerlo de que lo que estaba pasando entre su padre y la señorita Reynolds no era algo temporal. Hasta que ella se fuera, se limitaría a evitarla.

Vanessa se despertó sobresaltada, con el pulso acelerado y desorientada. Pero, a medida que sus ojos se acostumbraron a la oscuridad y pudo ver la habitación, recordó dónde estaba.

Al principio pensó que había dormido tanto que se había hecho de noche, pero luego se fijó en que alguien le había cerrado las cortinas. Agarró el teléfono para ver la hora y comprobó con alivio que solo había dormido una hora y media y que no tenía ninguna llamada perdida de Gabriel.

Marcó su número, pero igual que antes, le saltó directamente el buzón de voz, así que colgó y fue en busca del ordenador portátil, pensando que quizá le hubiera mandado un correo electrónico, pero no pudo conectarse a Internet porque le pedía una contraseña que no tenía. Tendría que pedirla.

El hecho de no haber sabido nada de Karin le hacía pensar que Mia seguía durmiendo. De pronto se dio cuenta de que no sabía qué hacer sin tener que cuidar de su hija. Hasta que se acordó de todas las maletas que la esperaban en el vestidor y decidió matar el tiempo deshaciendo el equipaje.

Se levantó de la cama, pero al entrar en el vestidor no vio las maletas, sino la ropa perfectamente colocada en perchas y estantes. Debía de haber estado allí la doncella mientras ella dormía.

Se puso una ropa más cómoda mientras se preguntaba a qué hora se cenaría en el palacio. Fue a la sala de estar, donde el último sol de la tarde se colaba por las ventanas e inundaba el suelo alfombrado. Al salir a la terraza, se topó con una temperatura tan elevada que le cortó la respiración por un momento. A sus pies se extendía una enorme pradera verde con lechos de flores y, aún más cerca, la piscina de dimensiones olímpicas. Gabriel había presumido de haber mandado construir la piscina porque Marcus era un magnífico nadador; eso explicaba el musculado torso que tenía.

No tenía ningún sentido que estuviera pensando en el torso de Marcus, ni en ninguna otra parte de su cuerpo.

Entonces sonó el teléfono y apareció el nombre de Gabriel en la pantalla. Por fin. El corazón se le llenó de alegría.

El sonido de su voz fue como un bálsamo para sus nervios. Imaginó su rostro, sus amables ojos oscuros y su sonrisa.

–Siento mucho no haber podido estar allí para recibirte –le dijo en su lengua materna, que era tan parecida al italiano, que a Vanessa no le había costado nada aprenderla.

–Te echo de menos –le dijo ella.

–Lo sé y lo siento. ¿Qué tal el viaje? ¿Qué tal está Mia?

–Fue muy largo y Mia no durmió mucho, pero ahora está durmiendo la siesta y yo también he dormido un buen rato.

–Salí solo veinte minutos antes de que llegaras tú.

–Tu hijo me ha dicho que tenías que atender un asunto familiar. Espero que vaya todo bien.

–Ojalá fuera así. La hermanastra de mi mujer ha sufrido una repentina infección y han tenido que llevársela al hospital.

–Cuánto lo siento, Gabriel –le había hablado de su cuñada, Trina, que se había quedado con él y con su hijo tras la muerte de la reina–. Sé que estáis muy unidos. Espero que no sea nada grave.

–Están atendiéndola, pero dicen que aún no está fuera de peligro. Espero que lo comprendas, pero no puedo dejarla sola. Ella nos ayudó mucho a Marcus y a mí cuando la necesitamos. Creo que debo quedarme.

–Claro que debes hacerlo. La familia siempre es lo primero.

Lo oyó suspirar, aliviado.

–Sabía que lo comprenderías. Eres una mujer extraordinaria, Vanessa.

–¿Cuánto tiempo crees que estarás allí?

–Puede que un par de semanas, pero no lo sabré con certeza hasta que se vea cómo responde al tratamiento.

¿Dos semanas sola con Marcus? ¿Qué era eso, alguna broma?

–Te prometo que volveré tan pronto como pueda –le aseguró Gabriel–. A menos que prefieras volver a casa hasta que yo regrese.

¿Qué casa? Había realquilado su apartamento mientras estuviese en Varieo. Tenía un presupuesto muy ajustado y, habiendo pedido unas vacaciones sin sueldo, no tenía dinero para el alquiler.

–Te esperaré aquí –le dijo a Gabriel.

–Te prometo que hablaremos a diario. ¿Tienes tu ordenador?

–Sí, pero no he podido conectarme a Internet.

–Díselo a Marcus. Le he pedido que se asegure de que no te falte de nada. Fue a recibirte, ¿verdad?

–Sí.

–¿Y estuvo amable?

Podría decirle la verdad, pero solo serviría para hacer que Gabriel se sintiera mal y que aumentara la antipatía que le profesaba Marcus.

–Sí, muy amable.

–Me alegro mucho. La muerte de su madre ha sido un golpe muy duro para él.

–Y le será muy difícil imaginarte con otra persona.

–Exacto. Me siento muy orgulloso de él por haberte aceptado.

No lo estaría tanto si supiese cómo se había comportado realmente, pero eso quedaría entre Marcus y ella.

—¿Estarás bien?

—Claro. Estoy deseando visitar el pueblo.

—Seguro que Marcus estará encantado de acompañaros. Deberías proponérselo.

—Puede que lo haga —dijo, sabiendo que no era así.

—Seguro que acabaréis siendo amigos en cuanto os conozcáis mejor.

Ella no lo tenía tan claro.

—Te he dejado una sorpresa en el primer cajón del escritorio —le dijo entonces Gabriel.

—¿Qué clase de sorpresa? —preguntó ella, dirigiéndose ya hacia la mesa de trabajo.

—No sería una sorpresa si te lo dijera —bromeó—. Ve a ver.

Dentro del cajón encontró una tarjeta de crédito a su nombre. La agarró y suspiró.

—Gabriel, te lo agradezco mucho, pero…

—Sí, sí, lo sé. Eres demasiado orgullosa para aceptar un regalo mío. Pero yo quiero que lo hagas.

—No me sentiría cómoda gastándome tu dinero.

—Imagínate que ves algo que te gusta en el pueblo. Sé que no tienes muchos fondos y quiero que puedas darte algún capricho.

—Te tengo a ti, no necesito nada más.

—Por eso me pareces tan increíble, querida. Y por eso te quiero. Pero prométeme que la llevarás encima, por si acaso.

–La tendré a mano –le prometió al tiempo que volvía a dejarla en el cajón porque sabía que jamás gastaría ni un céntimo.

–Te echo mucho de menos, Vanessa. Estoy deseando empezar nuestra vida juntos.

–Si me quedo –matizó para recordarle que aún no había nada seguro.

–Te quedarás –aseguró con la misma seguridad y la misma certeza que había mostrado el día que le había pedido que se casara con él–. Tengo que dejarte, Vanessa. Ha venido el médico y quiero hablar con él.

–Claro.

–Te quiero, mi dulce Vanessa.

–Y yo a ti –respondió ella justo antes de que colgara.

Gabriel era una persona de fiar y eso era lo que necesitaba ella en un hombre. Ya había vivido muchas emociones, ahora buscaba una relación madura y duradera y eso era algo que Gabriel podía darle. Eso y mucho más, siempre y cuando ella fuese lo bastante lista y lo bastante fuerte para permitirle que lo hiciera.

Capítulo Tres

Esa noche, Marcus estaba nadando con la esperanza de que el ejercicio físico le ayudara a quitarse el estrés que se le echaba sobre los hombros como una capa de hierro, cuando empezó a sonarle el móvil. Salió de piscina y fue hasta la mesa donde había dejado el teléfono. Era su padre.

A punto estuvo de no responder porque imaginó que su padre habría hablado ya con la señorita Reynolds y ella se habría quejado del frío recibimiento que había recibido de él. Seguramente el primer objetivo de aquella mujer sería abrir una brecha entre su padre y él.

—Padre, ¿qué tal está la tía Trina?

—Muy enferma, hijo —le respondió su padre.

A Marcus se le encogió el corazón. No estaba preparado para decir adiós a otro ser querido.

—En este momento la situación es impredecible, pero los médicos tienen esperanzas de que se recupere completamente.

Eso lo hizo respirar aliviado.

—Si necesitas algo, solo tienes que decírmelo.

—Sí que necesito algo, pero antes quería darte las gracias y decirte lo orgulloso que me siento. Orgulloso de ti y avergonzado de mí mismo.

–¿Por qué?

–Sé que te ha resultado muy difícil aceptar que haya podido enamorarme de otra persona, especialmente siendo alguien tan joven, y tenía miedo de que no trataras bien a Vanessa. Pero sé que has sido muy amable con ella… Siento mucho no haber confiado en ti, hijo. Debería haber sabido que eres un hombre íntegro.

¿Qué demonios le había dicho ella?

Marcus no sabía qué responder. ¿Qué diría si supiese la verdad? ¿Y por qué le habría mentido ella? ¿Era posible que realmente sintiese algo por su padre?

No, eso no podía ser. Sin duda era todo parte de un plan.

–¿Has visto lo preciosa que es la niña? –le preguntó su padre, completamente fascinado.

Marcus no recordaba haberle oído utilizar la palabra «preciosa» nunca.

–Sí –asintió, aunque no la había visto hacer otra cosa que gritar y dormir–. ¿Hay algo urgente sobre el trabajo que deba saber?

–No, no te preocupes por eso. He decidido hacer venir a mi equipo y trabajar desde aquí.

–No es necesario. Yo puedo encargarme de todo mientras estés fuera.

–Ya sabes que me vuelvo loco si no tengo nada que hacer. Así puedo trabajar y al mismo tiempo estar con Trina.

Eran demasiadas molestias para tan poco tiempo. A no ser que no fuera a ser tan poco tiempo.

–¿Cuánto tiempo esperas estar fuera?

–Le he dicho a Vanessa que dos semanas –respondió–. Pero la verdad es que podría ser más.

Marcus tuvo un pálpito nada halagüeño.

–¿Cuánto más?

–Con suerte no más de tres o cuatro semanas.

Desde luego, la familia era lo primero, pero le parecía excesivo. Sobre todo teniendo una invitada.

–Un mes es mucho tiempo.

–¿Cuánto tiempo dejó aparcada su vida Trina para estar con nosotros cuando tu madre estaba enferma?

Su tía había estado varios meses con ellos en la última etapa de la enfermedad y luego algunas semanas más después del funeral.

–Lo siento, estoy siendo muy egoísta. Tienes que estar con ella todo el tiempo que te necesite. Quizá debería ir contigo.

–Te necesito en palacio. Tabitha estará aquí conmigo, así que tienes que ser tú el que se encargue de que no les falte nada a Vanessa y a Mia.

–Por supuesto –estaba impaciente.

–Y quiero pedirte que las atiendas.

–¿Que las atienda?

–Sí, asegúrate de que no se aburran. Llévalas a ver cosas y haz que lo pasen bien.

Había decidido mantenerse alejado de ella cuanto fuera posible, no convertirse en su guía.

–Padre…

–Sé que es mucho pedir, teniendo en cuenta las circunstancias. Puede que al principio te resulte un poco incómodo, pero así tendréis la oportunidad de conoceros mejor. Es una mujer extraordinaria, hijo. Estoy seguro de que en cuanto la conozcas un poco más, la querrás tanto como yo.

–Padre, no creo que…

–Imagina cómo deben de sentirse su hija y ella, en un país en el que no conocen a nadie. Me siento fatal por dejarla en esa situación. Tardé semanas en convencerla para que viniera a Varieo y, si ahora se marcha, es posible que no quiera volver nunca.

¿Y eso sería malo?

Además, Marcus estaba seguro de que en realidad había estado haciéndose la difícil para atrapar a su padre y que no tenía intención alguna de marcharse. Claro que quizá en ese caso la distancia fuese el olvido. Quizá así su padre tuviese tiempo de pensar en su relación con la señorita Reynolds y de darse cuenta del error que estaba cometiendo.

O quizá, en lugar de esperar a que sucediera algo, Marcus podría pasar a la acción y persuadirla de que se fuera.

La idea le dibujó una sonrisa en la cara.

–Está bien, lo haré –le dijo a su padre.

–¿Cuento con tu palabra?

–Sí –respondió y se dio cuenta de que ya se sentía mejor–. Te doy mi palabra.

–Gracias, hijo. No sabes lo que significa esto para mí. No quiero que te preocupes por nada más. Piensa que estás de vacaciones hasta que yo vuelva.

–Muy bien –convino, más animado de lo que se había sentido en las últimas semanas, desde que su padre había vuelto a casa comportándose como un adolescente enamorado.

–Me ha comentado que quería conocer el pueblo –recordó su padre.

–Pues allí iremos mañana.

–No sabes el alivio que supone esto para mí. Si en cualquier momento necesitas que yo haga algo por ti, solo tienes que decírmelo.

«Mándala de regreso a los Estados Unidos», pensó, pero en realidad ya se iba a encargar él de eso.

Después de colgar, Marcus miró a la piscina y después al balcón de la habitación de la señorita Reynolds. Debería darle la noticia de inmediato para que tuviera tiempo de prepararse para la excursión del día siguiente. Así pues, se secó, se puso la camisa, los pantalones cortos y las sandalias y se dirigió al interior de la casa. Pensaba que oiría llorar a la niña al acercarse a la habitación, pero encontró el pasillo en completo silencio.

Llamó a la puerta y Vanessa abrió inmediatamente. Se había cambiado de ropa. Ahora llevaba unos pantalones de algodón negros, una sencilla camiseta rosa y el pelo recogido en una cola de caballo. Así parecía aún más joven y mucho más relajada que cuando había bajado del avión. Volvió a llamarle la atención lo atractiva que era. Sin maquillaje tenía un aspecto menos sofisticado, pero sus rasgos, la forma de su rostro, eran exquisitos.

Miró a su espalda, al interior de la habitación y vio que había puesto una manta en el suelo. Allí estaba su hija, apoyada sobre las manos y las rodillas, balanceándose adelante y atrás y meneando la cabeza de un lado a otro como un péndulo que se hubiese vuelto loco. Entonces se quedó quieta un segundo antes de caer a un lado y quedarse tumbada boca arriba con gesto confundido.

–¿Está bien? –le preguntó Marcus, por si acaso había que llamar al médico.

Ella miró a su hija con una enorme sonrisa.

–Está muy bien.

–¿Qué estaba haciendo? –Marcus empezaba a tener verdadera curiosidad.

–Gateando.

–No parece que llegue muy lejos.

–Aún no. Primero tiene que aprender a mantener el equilibrio estando de rodillas.

Parecía que todavía le quedaba mucho para lograrlo.

La niña repitió el mismo proceso y volvió a caerse. Marcus cerró los ojos un instante al ver que aterrizaba con la cara, enseguida la vio levantar la cabeza con expresión confusa y entonces se puso a llorar.

Al ver que Vanessa no se movía, preguntó:

–¿No va a ir a agarrarla en brazos?

–Si se la agarrara cada vez que algo le sale mal, no aprendería a seguir intentándolo. Se calmará en seguida.

Mia dejó de llorar de golpe y volvió a comenzar de cero.

–¿Lo hace mucho? –quiso saber después de observarla durante unos minutos.

–Prácticamente todo el tiempo desde hace tres días. Es una niña muy testaruda. Intenta las cosas una y otra vez hasta que consigue hacerlas. Supongo que lo ha heredado de mi padre.

–Discúlpeme –le dijo–. ¿Quería…?

Dejó la pregunta a medias y parpadeó un par de veces antes de mirarlo de arriba abajo, sorprendida, como si acabara de darse cuenta de cómo iba vestido. Se quedó inmóvil durante unos segundos, hasta que meneó suavemente la cabeza y volvió a mirarlo a la cara con expresión desorientada.

–Perdone, ¿qué ha dicho?

Marcus se preguntó si se habría confundido, quizá sí que fuera una rubia sin cerebro.

–No he dicho nada. Pero creo que usted iba a preguntarme si quería algo.

–Es cierto –dijo, con las mejillas sonrojadas–. ¿Y bien? ¿Quería algo?

–Si tiene un momento, me gustaría hablar con usted.

–Claro –se echó atrás para abrir la puerta de par en par, pero se tropezó con sus propios pies–. Disculpe. ¿Quiere pasar?

Marcus entró en la habitación mientras se preguntaba si habría estado probando el contenido del minibar.

–¿Está usted bien?

–Sí, es que me he echado una siesta y creo que aún no he conseguido despertarme del todo. Supongo que será por el desfase horario.

–¿De qué quería hablar? –le preguntó.

–Quiero saber por qué ha mentido a mi padre.

La vio parpadear y luego abrir la boca para hablar antes de volver a cerrarla sin decir nada. Después respiró hondo:

–¿En qué le he mentido si puede saberse?

–Le ha dicho a mi padre que yo había sido muy amable con usted cuando los dos sabemos que no es cierto.

–¿Y qué se supone que debía decirle? ¿Que el hijo al que quiere y respeta tanto se ha comportado como un auténtico estú...? –se llevó la mano a la boca, pero estaba bastante claro lo que había estado a punto de decir.

Marcus tuvo que apretar los dientes para no quedarse boquiabierto.

–¿Acaba de llamarme estúpido?

Ella meneó la cabeza.

–No.

–Claro que sí. Ha dicho que soy un auténtico estúpido.

–Es posible que lo haya hecho, sí –reconoció con incomodidad.

–¿Es posible?

–Está bien, lo he hecho. Lo he dicho sin pensar. Pero seamos sinceros, Marcus, se ha comportado como un estúpido.

Nadie que no fuera de su familia se había atrevido jamás a insultarlo a la cara. Lo cierto era que le pareció divertido.

–¿Está intentando ganarse mi antipatía?

–Ya siente antipatía por mí y, a estas alturas, no

creo que pueda hacer o decir nada para cambiarlo. Y la verdad es que me parece muy triste, pero... –se encogió de hombros–. Pero que conste que no he mentido a Gabriel, simplemente he... suavizado un poco la verdad.

–¿Por qué?

–Ya tiene bastante en la cabeza sin tener que preocuparse por mí. Además, sé defenderme sola.

Si no hubiera conocido a otras como ella, podría haber creído que realmente sentía algo por su padre, pero sabía que no era así. Había salido con una docena de mujeres como ella. Solo le interesaba su dinero y su posición social, pero él iba a encargarse de que no se saliera con la suya.

–Yo no diría que tiene que defenderse de nada –repuso él.

Ella se cruzó de brazos, lo que hizo resaltar la generosidad de sus pechos.

–Lo diría si estuviese en mi lugar.

Marcus tuvo que hacer un esfuerzo para seguir mirándola a la cara. No se podía negar que era notablemente atractiva y sexy.

–Escuche –comenzó a decirle ella–, no le gusto y me parece bien. Ni siquiera sé por qué y me decepciona que no esté dispuesto a darme una oportunidad, pero no importa. Si le soy completamente sincera, tampoco usted me vuelve loca, así que, ¿qué le parece si nos limitamos a alejarnos el uno del otro?

–Señorita Reynolds...

–Vanessa. Al menos tenga la decencia de llamarme por mi nombre.

—Vanessa —rectificó él—. ¿Qué te parece si firmamos una tregua?

¿Una tregua?

Vanessa observó el rostro de Marcus detenidamente, intentando dilucidar si estaba siendo sincero, pero lo único en lo que podía fijarse era en su pelo negro. ¿Y por qué no podía dejar de mirar ese pecho moreno y musculoso que tan tentadoramente se dejaba ver bajo la camisa?

—¿A qué viene eso? —le preguntó, tratando de mirar solo por encima de su cuello.

Lo vio cruzar los brazos sobre el pecho y temió que se hubiese dado cuenta de que lo había estado mirando fijamente. ¿Le habría molestado?

—Pensé que querías que te diera una oportunidad —le recordó.

Pero, ¿a qué se debía tan repentino cambio de opinión? No pudo evitar pensar que tramaba algo.

—Claro que quiero, lo que ocurre es que no parecía que estuvieses dispuesto a dármela.

—Eso fue antes de saber que vamos a tener que vernos a menudo durante las próximas semanas.

Eso la hizo parpadear varias veces.

—¿Qué quieres decir?

—Mi padre cree que sería buena idea que nos conociéramos mejor y me ha pedido que ejerza de guía durante su ausencia. Tengo que atenderos a tu hija y a ti y encargarme de que lo paséis bien.

No, ¿qué había hecho Gabriel? Quería que Marcus le diera una oportunidad, pero no a la fuerza. Eso solo serviría para que la detestara aún más. Por no hablar de que no había contado con que fuera tan...

No sabía cómo explicarlo, pero el caso era que su simple presencia hacía que se tropezara, tartamudeara e hiciera tonterías como quedarse embobada mirándole el pecho o insultarlo a la cara.

–No necesito un guía –le aseguró–. Mia y yo estaremos perfectamente solas.

–Pero por seguridad, no podrías salir sin escolta de palacio.

–¿Por mi seguridad?

–Sí, debemos tener cuidado con ciertos peligros.

–¿Qué clase de peligros?

–Personas a las que les encantaría ponerle las manos encima a la futura reina para poder pedir un cuantioso rescate.

No sabía si decía la verdad o simplemente quería asustarla.

–De lo que se trata es de que mi padre quiere que vayas acompañada –resumió Marcus–. Y quiere que lo haga yo.

–¿Y Tabitha?

–Se va a Italia para estar con él. Siempre lo acompaña a todas partes. Hay gente que piensa incluso... –hizo una pausa y meneó la cabeza–. Olvídalo.

Estupendo, ahora intentaba preocuparla.

Gabriel? podría tener una decena de amantes sin que ella lo supiera. Quizá no fuera cierto lo de su cuñada y en realidad estaba con alguna de sus novias. Quizá… ¡Ah!

Debía recordar que confiaba en Gabriel y no podía permitir que Marcus debilitase dicha confianza con una simple insinuación. Era cierto que no hacía mucho que conocía a Gabriel, pero en ese tiempo siempre había dado muestras de ser un hombre sincero y honrado. Pensaba seguir confiando en él.

Su relación con Gabriel no era ningún error. Si quería que conociese mejor a su hijo, lo haría, aunque no se fiase demasiado de Marcus. Se limitaría a ser como era y, con un poco de suerte, Marcus acabaría aceptándola.

–Entonces supongo que no tengo alternativa –le dijo.

Marcus frunció el ceño como si le hubiera ofendido la respuesta.

–Si la idea de pasar unos días conmigo te resulta tan desagradable…

–¡No! –lo interrumpió de inmediato–. No es eso lo que quería decir. En realidad quiero que nos conozcamos mejor, Marcus, pero no quiero que te sientas obligado a hacerlo. Me imagino lo incómodo que debe de ser para ti y lo doloroso que fue perder a tu madre. Por lo que me ha contado tu padre, era una mujer extraordinaria. Yo no pretendo sustituirla. Solo quiero que Gabriel sea feliz y creo que es más fácil que lo sea si tú y yo nos llevamos bien. O al menos conseguimos no ser enemigos.

–Estoy dispuesto a admitir que es posible que me haya apresurado al juzgarte –afirmó él–. Y, para que lo sepas, mi padre no me está obligando a hacer nada. Podría haberle dicho que no, pero sé que es importante para él.

No era una disculpa, pero sí era un buen comienzo. Vanessa esperaba que lo estuviera diciendo de corazón y que no tuviera ningún motivo oculto para ser amable con ella.

—En ese caso, será un honor que seas mi guía.

—¿Entonces hay tregua? —preguntó, tendiéndole una mano y dando un paso hacia ella.

Dios, qué bien olía. Le daban ganas de hundir la cara en su cuello y sumergirse en aquel aroma.

No, no, no le daban ganas de nada. Y no quería sentir la chispa que sintió cuando le estrechó la mano, ni el escalofrío que le provocó el roce de su dedo pulgar en el dorso de la mano.

¿Cómo era posible sentir esas cosas por un hombre que ni siquiera le caía bien?

—Mi padre me ha pedido que mañana os lleve a conocer el pueblo. Si hay algo en concreto que quieras hacer o algún lugar que quieras visitar, dímelo y lo organizaré todo.

Lo cierto era que le habría encantado pasarse una semana tumbada junto a la piscina, pero sabía que Gabriel quería que conociese su país para que pudiese decidir si quería vivir allí.

—Si se me ocurre algo, te lo diré.

—Muy bien. Estaos preparadas mañana a las diez.

—Cuenta con ello.

Una vez fijado el plan, Marcus asintió y salió de la habitación cerrando la puerta tras de sí. Vanessa se sentó en el suelo junto a su hija, que ya se había cansado de levantarse y caerse y estaba ahora tumbada boca arriba, mordiendo un sonajero.

Le inquietaba la idea de pasar tanto tiempo a solas con Marcus, pero no parecía que tuviese otra opción porque no quería herir los sentimientos de Gabriel, ni parecer la mala de la película. La parte positiva era que quizá al ver que Marcus la aceptaba, también el personal de servicio se mostrara más amable con ella.

En ese momento sonó el teléfono y Vanessa fue corriendo a responder con la esperanza de que fuera Gabriel.

Era su amiga Jessy.

–¿Cómo fue el vuelo?

–Una pesadilla. Mia casi no durmió –miró con ternura a su hija, que seguía babeando sobre la manta–. Pero ahora parece que ya está bastante adaptada.

–¿Qué tal Gabriel? ¿Se alegró mucho de verte?

Vanessa titubeó antes de decir nada. No quería mentir a su amiga, pero tenía miedo de que si le contaba la verdad no hiciera sino aumentar sus dudas. Pero, si no podía hablar con su mejor amiga, ¿con quién iba a hablar?

–Ha habido un pequeño cambio de planes –le explicó lo sucedido–. Sé lo que debes de estar pensando.

–Sí, ya sabes que tenía mis dudas sobre este viaje, pero confío en ti y quiero pensar que sabes qué es lo mejor para Mia y para ti.

–¿Aunque no estés de acuerdo?

–No puedo evitar preocuparme por ti y no quiero ni pensar en que te quedes allí a vivir, pero al final lo que yo piense no importa. ¿Qué piensas hacer hasta que vuelva Gabriel? –le preguntó Jessy.

–Su hijo se ha ofrecido a hacer de guía –solo con decirlo se le encogía el estómago.

–¿Es tan guapo en persona como en las fotos que me enseñaste?

–En una escala de uno a diez, tiene por lo menos un quince.

–Entonces, si las cosas no salen bien con Gabriel... –le dijo bromeando.

–No sé si te he dicho que también es un estúpido y que me odia. Aunque no puedo decir que no lo comprenda –admitió–. Gabriel quiere que nos llevemos bien, pero yo me conformo con que deje de odiarme.

–Vanessa, eres una de las personas más amables, consideradas y buenas que conozco. ¿Cómo no vas a gustarle?

El problema era que a veces era demasiado amable y demasiado considerada, hasta el punto de dejar que los demás le pasasen por encima. Y Marcus parecía de los que podría aprovecharse de algo así.

O quizá solo estuviese un poco paranoica.

–Es muy... intenso –le dijo a Jessy–. Cuando entra en una habitación es... Intimida un poco.

–Bueno, es que es un príncipe.

–Gabriel es el rey y nunca he tenido esa sensación con él.

–No te lo tomes a mal, pero quizá Gabriel al ser mayor, es más bien… como una figura paterna.

–Jessy, ya tengo bastante figura paterna con mi padre.

–Siempre dices que es tan crítico contigo que hace que te sientas un fracaso.

No podía negarlo, como tampoco podía negar que la amabilidad y los detalles de Gabriel hacían que se sintiera especial, pero no buscaba otro padre en él. Más bien al contrario. En el pasado siempre le habían atraído los hombres que intentaban controlarla o dominarla. Ahora lo que buscaba era un compañero, alguien con quien relacionarse de igual a igual.

Quizá lo que más le molestaba de Marcus, además de que la odiara, era que se parecía mucho al tipo de hombres con los que siempre había salido.

–No me fío de Marcus –le confesó a su amiga–. Desde el momento en que salí del avión me dejó muy claro que no le gustaba, y sin embargo de pronto, un par de horas más tarde, se ofrece a hacerme de guía. Dice que lo hace por su padre, pero no sé si creérmelo. Si realmente quisiese hacer feliz a su padre, ¿no habría sido un poco más amable conmigo desde el principio?

–¿Crees que va a intentar separarte de Gabriel?

–La verdad es que ya no sé qué pensar –lo único que sabía era que había algo en Marcus que no le gustaba, pero no tenía más remedio que estar con él hasta que volviera Gabriel.

–Yo tengo buenas noticias –anunció Jessy–. Wayne me ha invitado a acompañarle a Arkansas a la fiesta de aniversario de sus padres. Quiere que conozca a su familia.

—Y vas a ir, ¿verdad?

—Me encantaría. ¿Sabes el tiempo que hace que un hombre no quiere presentarme a su familia? Lo que ocurre es que viven en un lugar muy apartado con muy poca cobertura telefónica y me preocupa que si me necesitas…

—Jessy, estoy bien. En el peor de los casos, podría llamar a mi padre —aunque para eso tendría que ocurrir algo realmente horrible.

—¿Estás segura? Estoy preocupada por ti.

—Pues no lo estés. Puedo enfrentarme sola al príncipe Marcus.

Solo esperaba que fuera cierto.

Capítulo Cuatro

Marcus había creído tener calada a Vanessa, pero después de pasar el día con ella en el pueblo, comenzaba a preguntarse si la idea que se había hecho de ella sería acertada.

El primer indicio había sido cuando había llegado a su puerta a las diez de la mañana exactas, dando por hecho que tendría por delante una espera de quince o veinte minutos mientras ella se terminaba de arreglar. Era una especie de juego que les gustaba a las mujeres pero Vanessa abrió la puerta vestida con unas discretas bermudas de algodón, un suéter sin mangas, unas cómodas sandalias y un sombrero de paja, lo que sin duda quería decir que estaba preparada para salir. Con la cámara de fotos colgada al cuello, la bolsa de bebé en un hombro y su hija apoyada en la cadera, parecía más una turista que una cazafortunas ansiosa por convertirse en reina.

Sus sospechas no hicieron sino crecer cuando vio el modo en que compraba, o más bien el modo en que no lo hacía. Con la intención de cuidar del rey, Tabitha había avisado a Marcus de que su padre había pedido una tarjeta de crédito para Vanessa con un límite completamente desorbitado. Pero después de haber estado por lo menos en una docena de tiendas de todo tipo, en las que la había visto admirar la ropa de diseño y mirar con verdadero deseo un modesto par de pendientes artesanos, solo había comprado una camiseta para su hija, una postal que quería enviarle a su mejor amiga de Los Ángeles y una novela romántica de bolsillo, un placer inconfesable, según le había explicado con una ligera sonrisa. Y todo ello lo había pagado en efectivo. La sorpresa había sido aún mayor cuando la había oído hablar con uno de los dependientes y había descubierto que hablaba su idioma con absoluta fluidez.

–No me habías dicho que hablaras varieano –le dijo al salir de la tienda.

–No me lo habías preguntado –respondió ella encogiéndose de hombros.

Tenía razón y eso le desconcertó un poco más, como el resto de cosas que estaba descubriendo de ella. Era una mujer de mundo con una amplia cultura, pero en sus ojos aparecía un deleite infantil y una enorme curiosidad cada vez que veía algo nuevo. Le hizo un millón de preguntas y su entusiasmo era tan contagioso, que incluso él empezó a ver el pueblo con otros ojos.

Era inteligente, aunque caprichosa y a veces incluso un poco voluble. Serena y elegante, pero al mismo tiempo encantadoramente torpe, pues de vez en cuando se chocaba contra el umbral de alguna puerta, con algún otro peatón o se tropezaba con sus propios pies. Pero en lugar de enfadarse,

Vanessa se echaba a reír o pedía disculpas a quien fuera.

También tenía la interesante costumbre de decir exactamente lo que pensaba en el mismo momento en que lo pensaba, lo que hacía que a veces se pusiera en vergüenza a sí misma o otra persona.

Veinticuatro horas antes habría estado encantado de no tener que volver a verla, pero ahora, sentado frente a ella en una manta, a la sombra de un olivo junto al muelle, comiendo salchichas, queso y pan tostado, con Mia balanceándose a su lado, debía admitir que estaba experimentando una desconcertante combinación de perplejidad, desconfianza y fascinación.

—Deduzco que tenías hambre —comentó mientras la veía meterse en la boca el último trozo de queso.

—Tengo tendencia a la hipoglucemia, así que tengo que comer cinco o seis veces al día. Por suerte, tengo un metabolismo muy rápido que no me deja engordar. Un motivo más para que me odien las mujeres.

—¿Por qué habrían de odiarte?

—¿Estás de broma? ¿Una mujer con mi aspecto, que puede comer todo lo que quiera sin engordar ni un gramo? Hay gente que lo considera un delito imperdonable, como si yo pudiera controlar mi belleza o la gestión de las calorías que hace mi cuerpo. No sabes las veces que deseé ser más normal durante la adolescencia.

El hecho de que reconociera su propia belleza

debería haberla hecho parecer arrogante, pero lo decía con tal desprecio, que sintió cierta lástima por ella.

–Yo pensaba que todas las mujeres deseaban ser guapas –dijo él.

–Y así es la mayoría de las veces, lo que no quieren es que otras mujeres lo sean también. No les gusta tener competencia. En el instituto yo era muy popular, así que no tenía amigos de verdad.

En su enésima caída, Mia acabó sobre la pierna de Marcus, levantó la mirada hacia él y sonrió, él no pudo evitar sonreír también. Tenía la sensación de que sería tan bella como su madre.

–Las chicas se sentían intimidadas por mí. Cuando por fin se daban cuenta de que no era ninguna esnob y empezaba a entablar relación con gente, llegaba el momento en el que mi padre volvía a trasladarnos y tenía que empezar de nuevo en otra escuela.

–¿Os mudabais a menudo?

–Por lo menos una vez al año. Mi padre es militar.

Le costaba creerlo. La había imaginado en un barrio residencial, con una madre guapa y superficial y un padre ejecutivo que la malcriaba. Parecía que se había equivocado en muchas cosas.

–¿En cuántos lugares has vivido? –le preguntó.

–En demasiados. Mi padre viajaba mucho. Vivimos en Alemania, Bulgaria, Israel, Japón e Italia y, dentro de Estados Unidos, en once bases de ocho estados diferentes. Todo eso antes de cumplir los diecisiete años. En el fondo creo que todos esos traslados no eran más que una manera de afrontar la muerte de mi madre.

Le sorprendió que también hubiera perdido a su madre.

—¿Cuándo murió?

—Cuando yo tenía cinco años. De una simple gripe.

La muerte de su madre, la injusticia que suponía, lo había dejado envuelto en una nube negra de la que sentía que nunca podría salir. Sin embargo Vanessa parecía tener siempre una actitud positiva.

—Solo tenía veintiséis años —siguió contándole.

—Era muy joven.

—Fue muy inesperado. Fue empeorando cada vez más y cuando fue al médico para que le dieran algún tratamiento, resultó que tenía neumonía. Mi padre estaba destinado en el Golfo Pérsico. Creo que nunca se ha perdonado el no haber estado con ella.

Al menos Marcus había podido disfrutar de su madre durante veintiocho años. Eso no hacía que la pérdida fuera menos dolorosa. Sabía que esas cosas sucedían a menudo, pero le pareció terriblemente injusto que perdiera a su madre a una edad tan temprana y por culpa de una enfermedad tan común y aparentemente leve.

—¿Y tú? —le preguntó ella—. ¿Dónde has vivido?

—He estado en muchos lugares —respondió Marcus—, pero nunca he vivido en otro sitio que no fuera el palacio.

–¿Nunca has querido independizarte? ¿Vivir por tu cuenta?

Lo había deseado más veces de las que podría recordar. La gente solía relacionar realeza con lujo y excesos, pero las responsabilidades que conllevaba pertenecer a la familia real podían llegar a ser asfixiantes. Antes de hacer nada o tomar cualquier decisión, siempre tenía que pensar en su título y considerar en qué modo podría afectar a su imagen.

–Mi lugar está junto a mi familia –respondió a Vanessa–. Es lo que se espera de mí.

Mia comenzó a mover los brazos para reclamar su atención, así que le hizo una caricia bajo la barbilla que la hizo reír.

–Si yo hubiese tenido que vivir con mi padre todos estos años, ahora llevaría camisa de fuerza –aseguró Vanessa con amargura.

–¿No os lleváis bien?

–Con mi padre solo hay una manera de hacer las cosas, la suya. Digamos que no aprueba algunas de las decisiones que he tomado.

–¿Puedo preguntarte cuáles?

Vanessa suspiró antes de responder.

–En realidad creo que ninguna. Resulta irónico; hay gente que me detesta porque cree que soy demasiado perfecta y sin embargo mi padre está convencido de que no hay una sola cosa que haya hecho bien.

–Seguro que se alegra de que vayas a casarte con un rey.

–Podría decirle que soy la nueva Madre Teresa y le encontraría algún inconveniente. De todas maneras, no se lo he dicho. La única persona que sabe dónde estoy es mi mejor amiga, Jessy.

–¿Y por qué lo mantienes en secreto?

–No quería decirle nada a nadie hasta estar segura de que realmente voy a casarme con Gabriel.

–¿Y por qué no ibas a casarte con él? –le preguntó Marcus y Vanessa titubeó.

–A menos que prefieras no hablar de ello –matizó Marcus, aunque con una desconfianza en la mirada que daba a entender que pensaba que tenía algo que ocultar.

Su relación con Gabriel no era asunto suyo, pero si no respondía resultaría sospechosa. Claro que la respuesta podría alimentar la mala imagen que tenía de ella.

–Mi relación con Gabriel es... complicada.

–¿En qué sentido? Tú lo quieres, ¿verdad? –en su voz había cierto tono de acusación.

Justo cuando pensaba que las cosas iban bien y que podría estar cambiando de opinión respecto a ella, volvía a la carga con el empeño de dejarla en evidencia. Quizá debiera darle lo que buscaba. Seguramente a esas alturas no iba a cambiar nada.

–Lo quiero, sí –declaró–. Pero no estoy segura de estar enamorada de él.

–¿Qué diferencia hay?

–Tu padre es una persona increíble. Es inteligente, amable y lo respeto enormemente. Lo quiero como amigo y quiero que sea feliz. Sé que lo sería si me casase con él, o eso es lo que me ha dicho. Y, como comprenderás, me encantaría que Mia tuviese un padre.

–¿Pero? –se adelantó Marcus al tiempo que estiraba las piernas y se recostaba sobre los brazos como si se preparase para escuchar una buena historia.

–Pero también yo quiero ser feliz. Me lo merezco.

–¿Y mi padre no te hace feliz?

–Sí, pero… –suspiró. No había otra manera de salir de aquella–. ¿Qué opinas de las relaciones íntimas antes del matrimonio?

Marcus no dudó ni un segundo.

–Me parecen inmorales.

La respuesta la sorprendió.

–Vaya, nunca había conocido a un hombre de veintiocho años que fuera virgen.

Él frunció el ceño bruscamente.

–Yo no he dicho que sea…

Se quedó callado, consciente de que él mismo se había acorralado. La expresión de su rostro era digna de ver.

–Ya entiendo, lo que dices es que es inmoral que tu padre tenga relaciones íntimas antes de casarse, pero si lo haces tú, está bien. ¿No es eso?

–Mi padre pertenece a otra generación y piensa de un modo diferente.

–En eso tienes razón y esa es una de las raíces del problema.

–¿Qué quieres decir?

–Creo que dos personas deben saber si son compatibles sexualmente antes de casarse porque, admitámoslo, el sexo es un factor muy importante para que una relación dure. ¿No crees?

–Supongo que sí.

–¿Supones? Sé sincero. ¿Te casarías con una mujer con la que no te hubieras acostado?

Marcus titubeó solo un instante antes de responder.

–Probablemente no.

–Bueno, pues Gabriel es tan tradicional que ni siquiera quiere besarme hasta que no estemos prometidos oficialmente. Y no quiere ni oír hablar de sexo antes de casarnos.

–¿De verdad pretendes hacerme creer que mi padre y tú nunca habéis…? –parecía incapaz de decirlo, lo cual resultaba divertido.

–¿Tanto te sorprende? Tú mismo has dicho que es de otra generación. No se acostó con tu madre hasta la noche de bodas y ni siquiera entonces le resultó fácil, por lo que me ha dicho.

Marcus cerró los ojos con fuerza.

–Perdona. ¿Demasiada información?

–Sí.

–Ahora que lo pienso, no sé por qué te estoy contando todo esto, es evidente que no es asunto tuyo. Y nada de lo que diga va a hacer que cambies la opinión que tienes de mí.

–¿Entonces por qué me lo cuentas?

–Puede que sea porque llevo toda la vida aguantando que me juzguen injustamente y estoy harta. No debería importarme si te gusto o no, pero por algún motivo, me importa.

Marcus la miró como si no supiera qué pensar.

—No es que no me gustes.

—Pero no te fías de mí. Aunque supongo que es lógico porque yo tampoco me fío de ti.

En lugar de ofenderse, Marcus se echó a reír, lo cual desconcertó a Vanessa.

—¿Te resulta divertido? —le preguntó.

—Lo que me resulta divertido es que me lo digas a la cara. ¿Alguna vez te callas lo que piensas?

—A veces —como por ejemplo cuando no le había dicho que aquellos pantalones de lino gris le marcaban el trasero maravillosamente o que la camisa blanca hacía resaltar su piel bronceada. Tampoco le había mencionado que le daban ganas de acariciar esa ligera sombra de barba que tenía en la cara, o que cada vez que lo veía sonreír, sentía el deseo de… no importaba—. De niña, siempre que expresaba una idea, mi padre la echaba por tierra y hacía que me sintiera muy tonta. Y yo no soy tonta. Tardé un tiempo en llegar a esa conclusión. Ahora digo lo que pienso y no me preocupa lo que piense la gente porque la mayoría no me importa lo más mínimo. En lo que se refiere a mi valía como persona, la única opinión que me importa es la mía. Me ha costado bastante llegar a verlo así, pero la verdad es que estoy bastante satisfecha conmigo misma. Mi vida no es perfecta, por supuesto, y sigue preocupándome equivocarme, pero sé que soy una persona inteligente, así que, si cometo un error, aprenderé de ello.

—¿Entonces qué vas a hacer? —le preguntó él—. Con mi padre, quiero decir. Si se niega a ir contra sus principios.

—Espero que, si pasamos más tiempo juntos, pueda estar segura de que lo que estoy haciendo está bien.

—Tú misma lo has dicho, eres muy mujer muy hermosa y parece que mi padre está loco por ti, así que estoy seguro de que no te costaría mucho convencerlo para que dejara a un lado sus principios.

¿De verdad le estaba sugiriendo que sedujera a Gabriel? ¿Y por qué sentía escalofríos al oírle decir que era hermosa? Había escuchado aquellas palabras en boca de tantos hombres, que casi habían perdido el significado. Pero, ¿por qué era distinto con él? ¿Por qué le importaba lo que pensara de ella?

—Yo jamás haría eso —declaró con firmeza—. Respeto demasiado a tu padre.

Vanessa aprovechó una pequeña interrupción de Mia para poner fin a aquella charla tan extraña y tan poco apropiada. Daba igual lo que dijese o hiciese, parecía que la situación con Marcus se hacía cada vez más rara.

—Debería volver al palacio para acostar a Mia. Y a mí tampoco me vendría mal echarme un rato —seguía con el horario de Los Ángeles y, a pesar de lo cansada que estaba, había dormido muy mal la noche anterior.

Recogieron juntos los restos del picnic y, para sorpresa de Vanessa, Marcus agarró a Mia en brazos mientras ella doblaba la manta. Pero lo que más le sorprendió fue la naturaleza con que la agarraba y que, cuando fue a hacerlo, Mia se abrazó a él y apoyó la cabecita en su hombro.

Pequeña traidora, pensó, pero no pudo evitar sonreír.

–Parece que le gusta estar contigo –le dijo a Marcus, a quien no parecía molestarle la idea.

Vanessa pensaba que volverían directamente al palacio, pero Marcus pidió al conductor que se detuviera frente a una de las tiendas en las que habían estado antes y se bajó del coche. Apenas tardó unos minutos en volver, con una bolsita que se metió en el bolsillo del pantalón antes de subirse a la limusina.

Mia se durmió en el trayecto hasta el palacio y, al llegar allí, Marcus la sacó de su sillita y del coche antes de que Vanessa tuviera oportunidad de hacerlo.

–Ya la llevo yo –le dijo ella.

–No te preocupes –respondió Marcus.

No solo la llevó hasta su habitación, también la acostó en la cunita y la arropó bien, como habría hecho un padre, si Mia lo tuviese. La escena hizo que Vanessa pensara en todas las experiencias que se había perdido ya su hija en su corta vida. Ella sabía lo que era perder a una madre y verse privada de dicha relación y por eso esperaba con todo su corazón que Gabriel pudiera llenar ese vacío y que los meses que Mia había pasado sin un padre no le dejarán ningún tipo de trauma.

–Se ha portado de maravilla –comentó Marcus, mirando a la niña con una sonrisa en los labios.

–Normalmente es muy tranquila. Ayer la viste en su peor momento.

Vanessa avisó a Karin para que estuviese pendiente por si Mia se despertaba mientras ella se echaba un rato y no pudo evitar pensar que, después de todo, no estaba nada mal eso de tener niñera. Marcus la acompañó hasta la puerta de su habitación.

–Gracias por enseñarme el pueblo. Lo he pasado muy bien.

–¿Y te sorprende? –le preguntó él.

–Sí. Estaba preparada para que fuera un desastre.

Sonrió hasta que le aparecieron los dos hoyuelos en las mejillas. Y a ella se le aceleró el corazón. Era tan atractivo.

–¿Demasiada sinceridad para ti?

–Creo que empiezo a acostumbrarme.

Bueno, ya era algo.

–A mi padre le gustaría que mañana te llevara al Museo de Historia –anunció entonces.

–Ah.

–¿Ah?

–Es que aún no me he recuperado del viaje y pensaba que estaría bien pasar un día tranquilo, tumbada en la piscina. A Mia le encanta el agua y yo necesito tomar un poco el sol. Además no quiero que te sientas obligado a estar con nosotras o a llevarnos a ninguna parte. Seguro que tienes cosas que hacer.

–¿Estás segura?

–Totalmente.

–Entonces podemos ir al museo otro día.

–Encantada.

Marcus empezó a darse la vuelta para marcharse, pero entonces se detuvo y volvió a mirarla.

–Casi se me olvida –dijo sacándose del bolsillo la bolsa de la tienda del pueblo–. Esto es para ti.

Vanessa la agarró, completamente perpleja.

–¿Qué es?

–Míralo.

Al abrir la bolsa y ver lo que había dentro se quedó sin respiración.

–Pero… ¿cómo lo has sabido?

–Vi cómo los mirabas.

Sacó los pendientes de la bolsa y volvió a observarlos, maravillada. Estaban hechos a mano con dos pequeñas esmeraldas rodeadas por hilos de plata. Se había enamorado de ellos nada más verlos, pero los ciento cincuenta euros que costaban estaban completamente fuera de su presupuesto.

–Marcus, son preciosos –levantó la mirada hasta sus ojos–. Pero no lo entiendo.

Él se encogió de hombros con gesto relajado.

–Si hubieses ido con mi padre, estoy seguro de que te los habría comprado allí mismo, así que pensé que es lo que habría querido que hiciera yo.

No pudo evitar pensar que era un gesto importante. Muy significativo.

–No sé ni qué decir. Muchas gracias.

–Vamos, no es nada.

Era mucho.

Siempre le molestaba que Gabriel le comprara cosas porque tenía la sensación de que él creía que debía hacerlo para ganarse su cariño. Pero Marcus no tenía ninguna necesidad de hacerle un regalo; lo había hecho porque había querido. De corazón.

A punto de llorar de alegría y sin saber muy bien por qué le parecía tan importante, sonrió y le dijo:

–Tengo que irme. Gabriel estará a punto de llamarme por Skype.

–Claro. Hasta mañana.

Se quedó mirándolo hasta que lo vio desaparecer al final del pasillo. Había esperado hacerse amiga de Marcus porque sabía lo importante que era para Gabriel y ahora parecía que el deseo iba a hacerse realidad.

Marcus se impulsó para hacer el último largo y comenzó a mover los brazos en el agua. Le pesaban más de la cuenta gracias a los treinta minutos extra que llevaba nadando mientras reflexionaba sobre la conversación que había tenido con Vanessa. Si lo que decía era cierto y su padre y ella no habían tenido relaciones íntimas, ¿qué otra cosa lo había fascinado tanto? Quizá su juventud y la posibilidad de poder empezar de cero de nuevo.

Su madre le había confesado una vez que su padre y ella habrían querido formar una gran familia, pero debido a ciertas complicaciones en el parto de Marcus, no habían podido tener más hijos. Quizá para él Vanessa era otra oportunidad de tener la familia que siempre había querido y no había podido tener. Porque sin duda una madre tan competente como Vanessa querría tener más hijos.

O quizá había visto lo mismo que había visto él ese día. Una mujer inteligente, divertida y un poco rara. Y, por supuesto, hermosa.

«¿Tanto que tenías que comprarle un regalo?».

Lo cierto era que no tenía la menor idea de por qué le había comprado los pendientes. Quizá fuera porque entre ellos había surgido una especie de… conexión. Pero eso no era lo importante, lo que le había dicho era cierto. Si su padre la hubiera visto mirar así los pendientes, se los habría comprado de inmediato. Marcus lo había hecho para hacer feliz a su padre, nada más.

Pero la cara que había puesto al abrir la bolsa y ver lo que había dentro…

Se había mostrado tan impresionada y tan agradecida que por un momento había creído que iba a echarse a llorar. Y todo por un regalo tan insignificante. Si lo que le interesase fuese el dinero, ¿no habría despreciado cualquier cosa que no fuera de oro y diamantes? Y si estuviese utilizando a su padre, ¿por qué iba a reconocer que no estaba enamorada de él? ¿Por qué iba a haber hablado de ello siquiera?

Quizá, inconscientemente, le había hecho aquel regalo a modo de prueba. Una prueba que había superado brillantemente.

Se salió por fin de la piscina y se secó mientras lamentaba perder tanto tiempo pensando.

Miró al horizonte con un suspiro. El sol estaba a punto de ocultarse y había teñido el cielo de rojo y naranja. La brisa de la inminente noche le enfrió aún más la piel mojada. Lo cierto era que por mucho que no quisiese que le gustase Vanessa, tenía la sensación de que no iba a poder impedirlo. Nunca había conocido a nadie como ella.

Agradeció que el timbre del teléfono lo apartara de aquellos pensamientos y fue a responder pensando que sería su padre, pero al ver quién era maldijo entre dientes. No tenía ningún interés en lo que pudiera decirle su ex, que no parecía dispuesta a darse por aludida después de tres semanas de rehuir sus incesantes llamadas y mensajes.

¿Qué había visto en ella al principio? ¿Cómo era posible que alguien que lo había fascinado de tal modo ahora le causara tanto rechazo?

La bella y sexy Carmela lo había perseguido de tal modo que había terminado por claudicar. Tenía todo lo que él habría buscado en una esposa, o eso había creído, y al formar parte de una acaudalada familia, no le había preocupado que estuviese interesada en su dinero. Después de solo seis meses de relación, él mismo había empezado a pensar en compromiso y en boda, pero entonces había descubierto el terrible error que había cometido con ella.

66

La primera semana después de la ruptura había sido difícil, pero poco a poco había ido dándose cuenta de que lo que sentía por ella era más un encaprichamiento basado en la atracción física que verdadero amor. La única explicación racional que encontraba a su fugaz enamoramiento era el golpe que había supuesto la muerte de su madre. Y le parecía despreciable que ella se hubiese aprovechado de semejante coyuntura. Despreciable e imperdonable. Aún se estremecía al pensar en lo que habría pasado si le hubiese pedido matrimonio o si hubiesen llegado a casarse. Estaba muy decepcionado consigo mismo por haber permitido que las cosas llegasen tan lejos y por haberse dejado cegar por su atractivo sexual. Y lo cierto era que luego el sexo no había sido tan increíble porque, por mucho que le diera ella físicamente, emocionalmente el estar con ella lo dejaba… vacío. Quizá lo que le había hecho seguir con ella había sido la necesidad inconsciente de encontrar una conexión más profunda, pero viéndolo con perspectiva, no podía creer que hubiese sido tan estúpido.

Oyó el aviso que indicaba que le había llegado un mensaje de texto, de ella, claro.

–Ya está bien –protestó con furia y tiró el teléfono a la piscina. Pero al levantar la mirada del agua, se dio cuenta de que no estaba solo.

Vanessa se quedó mirando cómo se hundía el teléfono de Marcus.

–A mí me dan ganas de hacer lo mismo prácticamente todos los días –le dijo–. Aunque yo suelo imaginar que lo tiro por alguna ventana del hotel.

Él respiró hondo y se pasó la mano por el pelo. Los últimos rayos de sol se reflejaban en su piel mojada, en la perfección de los músculos de los brazos y de las piernas. El bañador le tapaba lo esencial, pero estaba tan mojado que resultaba muy revelador.

Dios, ¿qué tenía, doce años? No era la primera vez que veía un hombre casi desnudo, ni tampoco habría sido la primera que lo viera completamente desnudo. Claro que ninguno de los que había visto era tan… apetecible.

«Recuerda que estás hablando del hijo de tu posible prometido». La idea hizo que se sintiera culpable, bueno quizá no tanto.

–Ha sido muy infantil por mi parte –reconoció él como si estuviese decepcionado consigo mismo.

–¿Te sientes mejor? –le preguntó ella.

Se quedó pensándolo unos segundos y luego esbozó una ligera sonrisa.

–La verdad es que sí. De todas maneras tenía que cambiarlo por uno nuevo.

–Entonces has hecho bien.

–¿Qué haces aquí?

Se puso a secarse con la toalla que tenía en la mano, pasándosela por los brazos, por el pecho, por el vientre…

Dios, lo que habría dado por ser esa toalla en esos momentos.

«Es tu hijo político, Vanessa».

–Mia se durmió bastante temprano y yo estaba un poco inquieta –le explicó–. Pensé que me haría bien dar un paseo.

–¿Después de todo lo que hemos andado hoy? Deberías estar agotada.

–Estoy acostumbrada a estar de pie todo el día, así que lo de hoy no ha sido nada. Además, estoy intentando acostumbrarme al nuevo horario y, si me acuesto tan temprano, no lo conseguiré nunca. Pero sí que estoy agotada. No he dormido bien desde que llegamos.

–¿Por qué? –dejó la toalla sobre el respaldo de una silla.

Lo vio sentarse y recostarse sin un ápice de vergüenza. Claro que no tenía nada de lo que avergonzarse y no había nada más atractivo que un hombre tan cómodo consigo mismo, especialmente si tenía tan buen aspecto.

–No dejo de despertarme para ver si oigo a Mia, luego me doy cuenta de que está en otra habitación y, claro, tengo que levantarme a ver si está bien. Después de todo eso, me cuesta volver conciliar el sueño. Pensé que a lo mejor conseguía relajarme dando un paseo.

–¿Por qué no te tomas una copa conmigo? –le propuso Marcus–. Eso también te ayudará a relajarte.

Nunca había bebido mucho y, desde que tenía una niña a su cargo, prácticamente no había probado el alcohol. Pero ahora tenía una niñera que atendería a Mia si se despertaba, así que quizá le hiciera bien soltarse un poco el pelo por una vez.

Y quizá así Marcus se pusiese algo de ropa.

–De acuerdo –dijo y, como por arte de magia, apareció el mayordomo.

–Tenemos prácticamente de todo y George puede prepararte lo que desees.

Trató de recordar qué le gustaba beber y se decantó por un vodka con tónica y un toque de lima.

–Muy bien –asintió el mayordomo ante su petición y luego se dirigió a Marcus–. ¿Alteza?

–Lo mismo para mí. ¿Y podrías decirle a Cleo que necesito un teléfono nuevo con otro número?

George volvió a asentir y desapareció caminando como si cada paso supusiese un verdadero esfuerzo.

–Si me perdonas un momento –le pidió Marcus al tiempo que se levantaba de la silla–. Voy a cambiarme antes de quedarme frío.

Quería que se vistiera, pero no podía negar que ahora le daba lástima.

En su ausencia, Vanessa se quitó las sandalias y se sentó al borde de la piscina para meter los pies en el agua. Mientras desaparecían los últimos rastros de luz en el horizonte, ya con las luces del jardín y de la piscina encendidas, Vanessa miró el teléfono de Marcus, sumergido en el fondo del agua, y se preguntó qué o quién lo habría impulsado a tirarlo de ese modo.

Suspiró y pensó en qué estaría haciendo Gabriel en esos momentos. Probablemente estaría en el hospital. Trina seguía muy grave, pero parecía estar respondiendo bien al tratamiento y los médicos habían empezado a mostrar algo de optimismo respecto a la posible recuperación. Se sentía un poco egoísta de pensarlo, pero lo cierto era que esperaba que eso significase que Gabriel volviera pronto. Quería estar con él y empezar a pensar en el futuro porque en ese momento se sentía inquieta y confusa. Tampoco era justo para Mia vivir en ese estado de transición, aunque, sinceramente, a ella no parecía importarle en absoluto.

–Tu bebida –dijo Marcus y el sonido de su voz la hizo sobresaltarse.

Se había puesto unos pantalones cortos y una camiseta.

–Perdona, no pretendía asustarte –le dio uno de los vasos y se sentó a su lado, también metió los pies en el agua.

Estaba tan cerca que podía sentir el olor a cloro en su piel y con mover la pierna solo unos centímetros a la izquierda, le rozaría el muslo. Por algún motivo, la simple idea de hacerlo, le aceleró el corazón. Pero eso no quería decir que fuera a hacerlo.

Capítulo Cinco

—Estaba despistada –le explicó–. Tu padre me ha dicho antes que tu tía está respondiendo al tratamiento.

Marcus asintió, después tomó un trago de la copa y la dejó en el suelo.

—He hablado con él esta tarde. Me ha dicho que son bastante optimistas.

—Sé que es un poco desconsiderado por mi parte, pero estaba pensando que ojalá eso signifique que va a volver pronto –ella también tomó el primer trago y sintió cómo le quemaba la garganta al pasar–. ¡Vaya! Esto está muy fuerte.

—No eres desconsiderada, yo más bien diría que estás teniendo mucha paciencia, dadas las circunstancias. Yo en tu lugar, después de la frialdad con la que te recibí, seguramente me habría dado la vuelta y me habría marchado a casa.

—Es posible que lo hubiera hecho si no llega a ser por Mia; no podía someterla a otro vuelo de trece horas.

Marcus se quedó callado un momento mientras miraba las ondas que se formaban en el agua con el movimiento de sus pies. Después farfulló algo y a Vanessa le pareció que estaba maldiciendo.

–¿Pasa algo? –le preguntó.

–Debe de estar pegándoseme esa tendencia tuya a la honestidad brutal.

–¿Qué quieres decir?

–Probablemente no debería decírtelo y al hacerlo voy a traicionar la confianza de mi padre, pero creo que mereces saber la verdad.

Vanessa sintió un escalofrío de aprensión.

–¿Por qué tengo la sensación de que no me va a gustar lo que vas a decirme?

–Mi padre me dijo que quizá tuviera que que darse allí tres o cuatro semanas. No quería que lo supieras porque le daba miedo que te marcharas. Por eso me pidió que te entretuviera.

Se le cayó el alma a los pies.

–Pero yo solo voy a estar aquí seis semanas, lo que quiere decir que nos quedarán dos o tres para estar juntos y conocernos mejor.

Marcus se encogió de hombros.

–Entonces quédate más tiempo.

Se sentía traicionada y, mientras tomaba otro sorbo, no podía dejar de preguntarse en qué más le habría mentido Gabriel.

–No puedo quedarme más. En el trabajo solo me han dado seis semanas de permiso y si no vuelvo, me despedirán. Hasta que no sepa con seguridad si voy a quedarme aquí, necesito ese empleo. Si no, me quedaría sin nada. Tengo muy pocos ahorros, así que Mia y yo estaríamos prácticamente en la calle.

–Mi padre es una persona muy noble –aseguró

Marcus–. Jamás permitiría que ocurriera algo así, incluso aunque decidieras no casarte con él.

–Si es tan noble, ¿por qué me ha mentido?

–Solo lo ha hecho porque le importas.

En cualquier caso, ella jamás aceptaría su caridad y no había ninguna certeza de que Gabriel fuera tan generoso.

Marcus debió de leerle la mente porque añadió:

–Si él no se encargara de que no te faltara de nada, lo haría yo.

Aquellas palabras la dejaron asombrada.

–¿Por qué? Hasta esta tarde aún creías que estaba utilizándolo.

–Supongo que podría decirse que he cambiado de opinión.

–Pero, ¿por qué?

Marcus soltó una carcajada que parecía salirle de lo más hondo, un sonido cálido y muy agradable.

–Me desconciertas, Vanessa. Primero quieres que te dé una oportunidad y, cuando lo hago, cuestionas mis motivos.

–Tienes razón. Lo que ocurre es que ahora mismo estoy un poco confusa –le puso la mano en el brazo y sintió su piel cálida y firme–. Lo siento.

Marcus miró su mano, aún en el brazo, y luego volvió a levantar la mirada hasta sus ojos.

–Disculpas aceptadas.

Había algo en la oscura profundidad de sus ojos, una emoción que hizo que el corazón le diera un vuelco y de pronto la invadió una cálida sensación.

«Es el vodka», se dijo al tiempo que apartaba la mano.

—¿Quieres otra copa? —le preguntó Marcus.

Vanessa bajó al mirada y se dio cuenta de que tenía el vaso vacío, mientras que el de él aún tenía más de la mitad.

—No debería —dijo, con los músculos ya relajados por el efecto del alcohol. Hacía semanas que no estaba tan tranquila. ¿Sería tan grave tomarse otra copa? Sabiendo que la niñera estaba pendiente de Mia, ¿qué motivo tenía para no tomársela?—. Qué demonios, ¿por qué no? Al fin y al cabo, no tengo que conducir para volver a casa, ¿verdad?

Marcus hizo un gesto y George debía de estar mirando porque apareció poco después con otra copa. O esa segunda bebida no estaba tan fuerte, o la primera la había anestesiado. De un modo u otro, se la bebió alegremente.

—¿Sería mucho entrometerme si te preguntara por qué has tirado el teléfono a la piscina? —le preguntó entonces.

—Por culpa de una examante muy insistente.

—Deduzco que fuiste tú el que la dejó.

—Sí, pero después de sorprenderla en el asiento trasero de la limusina con mi mejor amigo.

—Vaya. ¿Estaban… ya sabes…?

—Sí. Con verdadero entusiasmo.

Hizo una mueca de dolor. Eso quería decir que había perdido a su madre, a su novia y a su mejor amigo en muy poco tiempo.

—Lo siento.

Marcus movió lentamente los pies dentro del agua, el izquierdo rozó el de ella, que tuvo que hacer un esfuerzo para no dar un respingo.

–Los dos intentaron echarle la culpa al otro.

–¿Y tú a quién crees?

–A ninguno de los dos. En los treinta segundos que estuve allí de pie, atónito, en ningún momento la oí decir que no, ni hacer el menor intento para apartarlo. Creo que los gemidos de placer que soltaban los dos eran prueba más que suficiente.

Volvió a rozarle el pie y ella sintió un escalofrío que la recorrió desde el pie, pasando por la pierna hasta lugares completamente inapropiados teniendo en cuenta la relación que los unía.

–¿Estabas enamorado de ella? –le preguntó entonces.

–Eso pensaba, pero ahora sé que solo era sexo.

–A veces es difícil distinguir lo uno de lo otro.

–¿Es así entre mi padre y tú?

Lo que sentía por Gabriel no tenía nada que ver con el sexo, de eso no tenía la menor duda.

–No. Gabriel es un buen amigo y lo quiero y lo respeto por ello. Es lo del sexo lo que aún tenemos que trabajarnos.

Su franqueza volvió a sorprenderlo.

–¿Sabe él que piensas eso?

–He sido completamente sincera con él, pero está convencido de que lo que siento por él irá tomando fuerza y yo espero que tenga razón.

Le rozó el pie de nuevo y esa vez habría jurado que lo había hecho apropósito. ¿Estaría haciendo piececitos con ella? ¿Por qué se le aceleraba de esa manera el corazón? ¿Y por qué lo animaba mentalmente a que la tocara también en otras partes del cuerpo, pero con las manos?

Eso sí que era atracción y sexo. Y estaba muy mal sentirlo.

—La semana pasada me enteré de que la empresa de su padre está en medio de una crisis financiera que podría obligarlo a cerrar —le explicó Marcus, y ella tardó unos segundos en caer en la cuenta de que seguía hablando de su ex–. Supongo que pensó que unos buenos contactos con la familia real podrían librarlo de la ruina.

—¿Crees que te estaba utilizando?

—Parece bastante probable.

Eso explicaba por qué era tan desconfiado con ella; era evidente que era a su ex a quien veía cuando la miraba.

—Qué zorra —dijo ella meneando la cabeza, pero al ver el modo en que Marcus abría los ojos, se tapó la boca con una mano y se odió a sí misma. ¿Cuándo aprendería a morderse la lengua?–. Perdona, no debería haber dicho eso —pero en lugar de enfadarse, Marcus se echó a reír.

—No, en realidad es un comentario muy acertado. Y, por desgracia, ella no fue la primera, aunque normalmente suelo ser más rápido en darme cuenta. La muerte de mi madre me dejó tal vacío que estaba ansioso por llenarlo y no veía bien con quién pretendía hacerlo.

—¿Te cuento algo curioso? El primer año de instituto descubrí a mi novio en el asiento trasero de su coche con mi supuesta amiga.

Marcus enarcó una ceja.

—¿Era una limusina?

—Ni mucho menos. Era un trasto viejo —respondió, riéndose.

—¿Qué hiciste cuando los viste?

—Les tiré un ladrillo y rompí el cristal de atrás.

—Yo debería haber hecho lo mismo.

—Estaba muy furiosa. Acababa de escribirle el trabajo de fin de curso de Historia, gracias al cual sacó un sobresaliente. Después me enteré, gracias a otra supuesta amiga, de que solo había salido conmigo porque estaba dispuesta a ayudarlo con los deberes y a dejar que se copiara de mis exámenes. Necesitaba sacar buenas notas para que no lo echaran del equipo de fútbol. Parece que todo el mundo sabía que me estaba utilizando.

—¿Y nadie te lo dijo?

—No. Trasladaron a mi padre un mes después y fue una de las pocas veces que me alegré de tener que volver a empezar de cero en otra parte.

—Espero que al menos se lo dijeras al director —dijo Marcus.

—No sabes cuánto me habría gustado contarlo todo y hacer que lo expulsaran del equipo y del instituto, pero entonces también me habrían expulsado a mí y mi padre me habría matado.

—Confías en la gente y eso es bueno.

No siempre.

—Por desgracia suelo atraer a hombres poco fiables. Es como si llevara la palabra «crédula» escrita en la frente y solo la vieran los sinvergüenzas.

—No todos los hombres se aprovechan de las mujeres.

—Todos los que yo he conocido, sí.

—Seguro que no todos han sido tan malos.

—Créeme, si hubiera un récord para la que tuviera menos suerte con los hombres, sería mío. Cuando el padre de Mia me abandonó, prometí que no volvería a permitir que nadie me utilizara. Y que no volvería a confiar en otro hombre tan ciegamente. Pero entonces conocí a Gabriel y me pareció tan... maravilloso. Me trataba como si fuera especial.

—Porque es eso lo que cree que eres. Desde que volvió a casa aquella vez, no pudo dejar de hablar de ti —entonces fue él el que le puso una mano en el brazo a ella y se lo apretó suavemente mientras la miraba con dulzura y compasión—. Él no te está utilizando, Vanessa.

¿Por qué mientras tenían esa charla tan sincera sobre Gabriel solo podía pensar en Marcus? ¿Por qué no dejaba de imaginarse lo que sentiría si le pusiera la mano en el muslo? ¿Por qué no podía dejar de mirarlo a la boca y de preguntarse cómo sería tenerla sobre la suya?

Cada vez estaba más claro que estaba enamorándose. Del hombre que no debía.

***

¿Crees que uno puede enamorarse de alguien en solo dos semanas? –le preguntó Vanessa a Marcus.

–Creo que en el amor, todo es posible –contestó.

La idea de que Vanessa volviera a sufrir por culpa de un hombre le inquietaba más de lo que habría podido imaginar. Quizá porque estaba convencido de que era algo inevitable. Solo esperaba que cuando su padre la abandonara, al menos lo hiciera con amabilidad. Claro que quizá la espera acabara por frustrarla hasta el punto de decidir que no quería quedarse.

Ahora que la conocía mejor, Marcus ya no sabía qué esperar. Nunca había conocido a una mujer tan impredecible. Sin embargo, al mismo tiempo se identificaba con ella en ciertas cosas y la comprendía, lo que no tenía ningún sentido.

Pero lo que más le sorprendía era hasta qué punto se había equivocado con ella y cuánto había subestimado a su padre. Nunca se perdonaría por ello.

George apareció en ese momento con otras dos copas. Marcus agarró los dos vasos y le dio uno a Vanessa, que miró el que ya tenía como si le sorprendiera ver que estaba vacío.

–De verdad que no debería –dijo, pero en el momento en que él se disponía a devolvérselo a George, añadió–: Pero sería una lástima desperdiciar un vodka tan bueno. Esta es la última.

George se alejó con los vasos vacíos, meneando la cabeza, divertido o exasperado, quién sabía.

—Tu padre me ha contado que cuando conoció a tu madre fue amor a primera vista —recordó ella—. Y que supuso un gran escándalo porque ella no pertenecía a la realeza.

—Sí, mis abuelos eran muy tradicionales. Ya tenían un matrimonio concertado para él, pero mi padre amaba a mi madre. Amenazaron con desheredarlo y él dice que aquella fue la única vez que se rebeló contra ellos.

—Debió de ser muy difícil para tu madre saber que la odiaban hasta el punto de querer desheredarlo.

—No la odiaban tanto a ella como a la idea que tenían de ella, pero las cosas mejoraron después de que yo naciera. Mi padre era hijo único, así que estaban encantados de que mi madre les diera un heredero.

—¿Entonces a tu padre no le importaría que tú te casaras con alguien que no fuera de la realeza?

—Mis padres siempre me han dicho que, como único heredero, es esencial que yo también tenga un heredero, pero quieren que me case por amor.

—Como hicieron ellos.

—Sí.

—¿Cómo era tu madre? —le preguntó ella entonces.

Solo con pensar en ella se le dibujó una sonrisa en los labios.

—Guapa, leal y sin pelos en la lengua, lo que muchos consideraron poco conveniente para una reina. Creció en una familia italiana de clase media, por lo que sentía un profundo respeto por la gente común. La verdad es que tú me recuerdas a ella en algunas cosas.

Lo miró con sorpresa.

–¿Yo?

–Era valiente y muy lista, y no tenía miedo a decir lo que pensaba, aunque a veces le ocasionase problemas. Fue toda una inspiración para las mujeres jóvenes de este país.

–¿Valiente? –lo miró como si hubiese perdido la cabeza–. Yo siempre tengo miedo a estar equivocándome.

–Pero eso no te detiene, lo cual requiere mucha valentía.

–Es posible, lo que no sé en qué podría yo servir de inspiración a otras mujeres. Mi vida es una sucesión de errores.

¿Cómo era posible que no se diera cuenta de todo lo que valía?

–Eres culta, inteligente y tienes éxito en tu profesión. Pero además eres una magnífica madre que está criando a su hija sin ayuda. ¿Qué mujer joven podría no admirarte?

La vio morderse el labio y, por un momento, creyó que iba a echarse a llorar.

–Es posible que sea lo más bonito que me hayan dicho en toda mi vida. Pero sé que no lo merezco porque soy un verdadero desastre.

–Me parece que es tu padre el que habla por tu boca –le dijo.

–Puede que en parte, pero soy consciente de

que a lo largo de mi vida he tomado unas cuantas decisiones muy poco acertadas.

—Eso le pasa a todo el mundo. ¿Cómo aprenderíamos si no cometiéramos algunos errores?

—El problema es que parece que yo no aprendo de los míos.

¿Por qué no veía lo que veía él en ella? ¿Acaso las exigencias de su padre habían acabado por completo con su autoestima? ¿Qué podría hacer él para hacérselo creer? ¿Cómo podría hacerle ver lo especial que era?

—Te subestimas. Si no fueras una persona extraordinaria, ¿crees que mi padre se habría enamorado tan rápido de ti?

Sus miradas se encontraron y en los ojos de Vanessa encontró tanta esperanza y vulnerabilidad que Marcus tuvo que resistir el impulso de estrecharla en sus brazos. Bajó la vista hasta su boca, sus labios eran carnosos y parecían muy suaves, por lo que no pudo evitar preguntarse si serían así al tacto y a qué sabrían.

La fuerza de la excitación que sintió de pronto en la entrepierna lo agarró completamente desprevenido.

Fue ella la que apartó la vista, pero le dio tiempo a ver un destello de culpa en sus ojos y supo que, fuera lo que fuera aquel sentimiento tan inadecuado, ella también lo sentía.

Vanessa se frotó los brazos.

—Empieza a hacer fresco, ¿no?

—¿Quieres entrar?

—Todavía no.

Se quedaron callados varios minutos.

Vanessa tomó un trago e inmediatamente dejó el vaso en el suelo.

—Creo que ya he bebido suficiente. Estoy un poco mareada y se está haciendo tarde. Debería ir a ver qué tal está Mia.

Era extraño porque, aunque Marcus no había tenido intención alguna de pasar tanto rato con ella, ahora no tenía ganas de decirle adiós.

Lo cual era motivo más que suficiente para hacerlo.

—¿Quieres que te acompañe hasta tu habitación?

—En realidad creo que necesito que lo hagas porque, sinceramente, no sé si sabría encontrarla sola.

—Mañana le diré a Cleo que te imprima un plano del palacio —dos días antes no le habría importado, pero ahora quería que se sintiese a gusto. Era lo menos que podía hacer.

También él dejó su bebida y se puso en pie. Le ofreció la mano para ayudarla a levantarse, ella se la dio y se alegró de que lo hiciera porque, al tirar de ella, se dio cuenta de que tenía tan poco equilibrio que probablemente se habría caído a la piscina.

—¿Estás bien? —le preguntó.

—Sí —parpadeó varias veces y luego meneó la cabeza como si tratara así de despejarse, pero agarrándole la mano con fuerza—. Me parece que no debería haber tomado la última copa.

Su mano parecía tan pequeña y frágil.

–¿Quieres volver a sentarte?

Tardó unos segundos en responder.

–Creo que debería meterme en la cama cuanto antes.

Lo primero que pensó él, con absoluta depravación, fue: «¿Quieres que me meta contigo?». Pero, aunque lo pensara e incluso lo deseara, jamás lo diría en voz alta. Y, lo que era más importante, jamás lo haría.

¿Podría haber una situación más embarazosa?

Vanessa se colgó del brazo de Marcus para dejarse llevar a pesar de lo idiota que se sentía.

–Ahora encima creerás que tengo un problema con la bebida –le dijo.

Marcus sonrió hasta que le salieron los hoyuelos en las mejillas y ella volvió a notar esa especie de descarga eléctrica.

–Quizá si te hubieras tomado diez copas, pero solo han sido tres y la tercera ni siquiera la has terminado –se detuvo junto a la mesa para que ambos pudiesen ponerse las sandalias–. En realidad me parece que la culpa es del desfase horario. ¿Podrás subir las escaleras? Si no, te llevo en brazos.

Le gustaba ir agarrada de su brazo. Pero no podía evitar preguntarse cómo sería tocarlo en otras partes del cuerpo. Seguro que la culpa de que se planteara esas cosas la tenía el alcohol.

Bueno, quizá se las hubiera planteado también

sin haber bebido, pero por nada del mundo haría nada.

—Creo que puedo arreglármelas.

Con el teléfono móvil en una mano y el brazo de Marcus en la otra, fue avanzando poco a poco, pero al llegar a la puerta, se detuvo.

—¿No podríamos ir por el jardín, rodeando la casa?

—¿Para qué?

Se mordió el labio inferior, se sentía como una adolescente irresponsable.

—Me da vergüenza que alguien me vea en estas condiciones. Todo el personal de servicio cree que soy una persona horrible, pero ahora van a pensar que además soy una borracha.

—¿Qué importa lo que piensen?

—Por favor —le suplicó, tirando de él hacia el jardín—. Me siento muy estúpida.

—No tienes por qué. Pero si para ti es importante, entraremos por la puerta lateral.

—Gracias.

Lo cierto era que empezaba a sentirse mejor, pero no le soltaba el brazo por si acaso. Marcus le infundía seguridad. Y calor.

Fueron por el camino que rodeaba el palacio. Habían recorrido ya la mitad del camino cuando Vanessa oyó un ruido a su espalda.

—¿Qué ocurre? —le preguntó él—. ¿Vas a vomitar?

—No estoy tan borracha —respondió ella, ofendida—. Se me ha caído el teléfono.

—¿Dónde?

—Por aquí cerca, creo. Lo he oído caer.

Volvieron atrás unos pasos y lo buscaron durante varios minutos, pero no estaba en el camino, ni cerca de él.

—Puede que diera un bote y cayera entre las flores —dijo ella, agachándose.

Marcus meneó la cabeza.

—Si es así, es imposible que lo encontremos con esta luz.

—¡Llámame! —exclamó de pronto, sorprendida de que se le hubiese ocurrido una idea tan buena en la situación en la que se encontraba—. Cuando suene, sabremos dónde está.

—Claro, iré a sacar mi teléfono del agua para poder llamarte —dijo Marcus con sarcasmo.

—Es verdad. Lo había olvidado.

—Podemos buscarlo mañana.

—¡No! —quizá él pudiera deshacerse de su teléfono alegremente, pero ella se ganaba la vida trabajando y no tenía una secretaria que le organizase su día a día—. Además de que me costó una fortuna, ese teléfono es toda mi vida. Lleva mi agenda, mis contactos y mi música. ¿Y si llueve?

Marcus suspiró con resignación.

—Espérame aquí y traeré otro teléfono.

—¿Quieres que me quede sola en medio de la oscuridad?

—Te aseguro que puedes estar completamente tranquila.

—¿Y eso que decías de que había gente que estaría encantada de secuestrar a la futura reina?

–Puede que estuviera exagerando un poco –admitió con cierta vergüenza–. No te pasará nada.

Se lo había imaginado. Había intentado asustarla y conseguir que quisiera marcharse, pero, por mucho que quisiera, no podía echárselo en cara después de lo amable que había sido con ella desde entonces.

–No te muevas de donde crees haberlo perdido –le advirtió Marcus–. Si no podríamos estar aquí toda la noche.

–Me quedaré aquí –prometió, y se sentó en el suelo de piedra, que aún estaba caliente del sol.

Marcus sonrió y meneó la cabeza. Lo vio alejarse por donde habían venido hasta que desapareció.

Después de unos minutos esperando, empezó a dolerle el trasero, así que se levantó de la piedra y se trasladó al césped, donde se tumbó para mirar al cielo. Estaba todo despejado y la media luna brillaba entre las estrellas. La única manera de ver las estrellas en Los Ángeles era subir a las montañas, algo que había hecho muchas veces con el padre de Mia. Se tumbaban en la parte trasera de su camioneta y, además de hacer el amor, miraban las estrellas.

Oyó pasos que se acercaban y, al levantar la cabeza, vio a Marcus con gesto desconcertado.

–¿Estás bien? –le preguntó al llegar junto a ella.

Ella sonrió y asintió.

–Hace una noche preciosa. Estaba mirando las estrellas.

Marcus miró al cielo y luego de nuevo a ella.

–¿Estás segura de que no te has caído?

Intentó darle un golpe en la pierna, pero él lo esquivó con rapidez, riéndose.

–Si quieres, puedes unirte –le sugirió.

Se tumbó a su lado en el suelo, tan cerca de ella que le tocaba el brazo, y eso le gustó. Le gustó mucho. Le gustaba estar cerca de él y sentir esa calidez, además de esa chispa que notaba cada vez que estaba con él y esa necesidad de estirar solo un poco la mano para entrelazar los dedos con los suyos. Era emocionante y aterrador.

Pero no iba a hacerlo, por supuesto, porque ni siquiera ella era tan valiente.

–Tienes razón –reconoció Marcus con la mirada clavada en el cielo–. Es precioso.

–¿Piensas que soy muy rara, ¿verdad? –le preguntó ella.

–No exactamente, pero sí que puedo decir que nunca he conocido a nadie como tú.

–No sé si estoy hecha para formar parte de la realeza. No podría renunciar a esto.

–¿A tumbarte en el césped?

Ella asintió.

–¿Quién ha dicho que tuvieras que hacerlo?

–Supongo que no sé bien qué es lo que podría hacer y lo que no. Quiero decir, si me casara con Gabriel, ¿podría seguir haciendo muñecos de nieve?

–No veo por qué no.

–¿Y podría atrapar los copos con la lengua?

–Podrías intentarlo.

–¿Puedo pasear descalza por la arena y jugar en el barro con Mia?

–Deberías saber que los miembros de la realeza no somos tan rígidos y sabemos divertirnos. Somos personas normales y corrientes, cuando estamos lejos de la atención pública, nuestra vida es relativamente normal.

Lo que ocurría era que su concepto de normalidad era muy diferente al de ella.

–Todo esto ha ocurrido tan rápido que no sé muy bien qué esperar.

Marcus la miró a los ojos.

–Supongo que sabes que aunque te cases con mi padre seguirás siendo la misma persona; no hay ninguna poción mágica que de pronto te convierta en miembro de la realeza. Y tampoco hay reglas predeterminadas –hizo una pausa y luego añadió–: Está bien, quizá sí que haya algunas reglas. Cierto protocolo que habría que seguir, pero ya lo aprenderás.

Todo eso debería habérselo explicado Gabriel, no Marcus. Era a Gabriel al que debería estar conociendo mejor y con el que debía establecer una relación más estrecha, pero lo que estaba haciendo era conocer a Marcus a fondo y creando un vínculo con él, un vínculo muy importante. Estaba muy cómoda con él y sentía que podía comportarse tal como era. Quizá porque no estaba preocupada por impresionarlo. Lo cierto era que todo se había complicado tanto que estaba confusa, ya no sabía lo que pensaba de nada. Y esas copas que se había tomado no estaban ayudando precisamente.

–He estado pensando –anunció Marcus–. Creo

que deberías llamar a tu padre y decirle dónde estás.

La sugerencia, el mero hecho de que hubiese pensado en ello, la dejó desconcertada.

—¿Para que me diga que estoy cometiendo otro error? ¿Por qué iba a querer hacer eso?

—¿Tú crees que estás cometiendo un error?

Cuánto desearía poder responder a esa pregunta. Desearía poder viajar al futuro para ver cómo iba a salir todo. Pero no era así.

—Me imagino que no lo sabré con certeza hasta que pase el tiempo.

Marcus resopló con exasperación.

—¿Entonces sí que crees que te estás equivocando? ¿Estarías aquí si supieses que esto iba a ser un desastre?

Se quedó pensándolo unos segundos.

—No, no creo que esté cometiendo un error porque, aunque no saliera bien, al menos habría conocido un país en el que nunca había estado, habría conocido gente y vivido nuevas experiencias. He estado en un palacio y he conocido a un príncipe, aunque al principio fuera un poco estúpido.

Marcus sonrió al oír eso.

—Entonces no importa lo que piense tu padre. Pero creo que no decírselo solo servirá para que parezca que tienes algo que ocultar. Si de verdad quieres que te respete y confíe en las decisiones que tomas, antes tienes que tener fe en ti misma.

—Vaya. Es un análisis muy perspicaz —y acertado—. Deduzco que hablas por propia experiencia.

–Soy el futuro dirigente de este país, así que es esencial que transmita seguridad a los ciudadanos. Es la única manera de hacer que confíen y crean en mí.

–¿Y tú crees en ti mismo?

–La mayor parte del tiempo, sí. Hay días que me aterra la idea de tener que cargar con semejante responsabilidad, pero para ser capaz de dirigir un país, es muy importante aprender a delegar –Marcus la miró y sonrió–. Así siempre hay alguien al que echarle la culpa cuando algo sale mal.

Era obvio que lo decía en broma y la sonrisa que apareció en su rostro era tan encantadora que le dieron ganas de acariciarle la mejilla.

–No sé si sabes que tienes una sonrisa preciosa. Deberías sonreír más a menudo.

Marcus levantó la mirada al cielo.

–Me parece que no había sonreído tanto desde que murió mi madre. La vida es un poco triste desde entonces. Ella hacía que todo fuese divertido e interesante. Supongo que es otra cosa en la que me recuerdas a ella.

La ternura que le provocaron sus palabras dejó paso de pronto a una pensamiento mucho más inquietante. ¿Sería ese el motivo por el que Gabriel se sentía tan atraído por ella? ¿Acaso se parecía tanto a su difunta esposa que la veía como una especie de sustituta de la original?

Era absurdo. No podía ser. Pero, si era tan absurdo, ¿por qué de pronto se le había encogido el estómago?

Capítulo Seis

–Por cierto… –Marcus se sacó un teléfono móvil del bolsillo–. ¿Cuál es tu número?

Vanessa se había olvidado por completo del teléfono. Marcus marcó el número en cuanto ella se lo dijo e inmediatamente empezó a sentirlo vibrar… en el bolsillo delantero de los pantalones.

–¿Qué…? –lo sacó y se quedó mirándolo, asombrada. Marcus se echó a reír–. Pero si lo he oído caer.

–Habrás oído algo, pero obviamente no ha sido el teléfono.

–Lo siento mucho.

–No pasa nada –Marcus se puso en pie y le tendió una mano para ayudarla–. Será mejor que entremos.

Estaba tan a gusto charlando con él que no le apetecía nada irse a su habitación. Pero era tarde y probablemente Marcus tenía cosas más importantes que hacer que pasar el rato con ella.

Aceptó su mano y él tiró de ella, pero al ponerse en pie se le escapó el teléfono de la mano y esa vez sí cayó al suelo. Quedó en el césped entre los dos. Marcus y ella se agacharon a recogerlo al mismo tiempo, chocando el uno contra el otro.

–¡Ay! –murmuraron al unísono.

Ella volvió a ponerse en pie llevándose la mano a la frente.

–Te has hecho daño –dijo él, preocupado.

–No es nada.

–Déjame ver –insistió Marcus.

Le puso la mano en la mejilla suavemente para girarle la cara hacia la luz y con la otra mano, le retiró el pelo de la frente.

El corazón empezó a pegarle botes dentro del pecho. Antes se le habían aflojado un poco las piernas, pero eso no era nada comparado con la sensación de vértigo y emoción que estaba experimentando en esos momentos.

Entonces lo miró a los ojos y lo que vio en ellos hizo que le flaquearan las rodillas de verdad.

La deseaba. La deseaba de verdad.

–¿Duele? –le preguntó él con una voz que apenas era un susurro.

Lo único que le dolía en esos momentos, aparte del orgullo, era el corazón por lo que sabía que iba a pasar. Fue ella la que provocó el beso, prácticamente se lo suplicó. Levantó la barbilla al tiempo que él bajaba la cabeza y entonces sus labios se rozaron…

Era el beso con el que soñaban todas las chicas. Indescriptible, un compendio de todos los tópicos románticos habidos y por haber.

No tenía la sensación de que fuese un error. Más bien sentía que era lo primero que hacía bien desde hacía muchos años.

Seguramente por eso seguía besándolo y le había echado los brazos alrededor del cuello. Y por eso habría seguido besándolo si no se hubiese retirado él.

—No puedo creer lo que acabo de hacer —murmuró Marcus.

Se llevó la mano a los labios, aún empapados de su sabor. Seguía teniendo el corazón acelerado y las rodillas flojas.

Había traicionado a Gabriel. Con su hijo. ¿Qué clase de depravada era?

—No ha sido culpa tuya. Yo he permitido que lo hicieras —le dijo ella.

—¿Por qué? —le preguntó Marcus.

Parecía estar buscando una explicación a lo que estaba ocurriendo, a lo que ambos sentían.

—Porque… Porque quería que lo hicieras.

Marcus se tomó unos segundos para analizar la respuesta, como si no pudiera decidir si era algo bueno o malo, si debía sentirse aliviado porque no había sido culpa suya, o aún más culpable.

—Si es por algo que yo haya hecho…

—¡No! —aseguró ella—. Bueno, quiero decir que sí que has hecho algo tú, pero también yo. Está claro que los dos estamos… un poco confusos. No importa por qué lo hemos hecho. Los dos sabemos que no debería haber ocurrido y, sobre todo, que no puede volver a ocurrir. ¿Verdad?

Marcus se quedó callado unos instantes mientras ella aguardaba su confirmación, impaciente por poner punto final a lo ocurrido.

Pero en lugar de darle la razón, Marcus meneó la cabeza y dijo.

–Creo que no.

Quizá no tuviera mucho sentido, pero al oír aquello sintió tristeza y una profunda alegría al mismo tiempo.

–¿Por qué?

–Porque a lo mejor si averiguamos por qué lo hemos hecho, dejaré de tener ganas de volver a hacerlo.

Fueron en silencio hasta la habitación de Vanessa y, al llegar a la puerta, ella se volvió a mirarlo.

–Lo he pasado muy bien esta noche. Me ha gustado hablar contigo.

–Lo mismo digo.

–Bueno… gracias.

No sabía muy bien por qué le daba las gracias, pero asintió de todos modos.

Así, sin volver a mirarlo, Vanessa se metió en su habitación y cerró la puerta. Marcus se quedó allí de pie por lo menos un minuto, con la sensación de que no habían aclarado nada y con ganas de llamar a su puerta. El problema era que no tenía la menor idea de lo que quería decirle.

Aquello debería haber acabado ahí, pero había algo que no estaba bien, aunque no sabía qué.

«Te estás volviendo loco», pensó riéndose con amargura y luego echó a andar por el pasillo. Se sacó del bolsillo el teléfono cuyo número desconocía incluso Cleo y miró la lista de llamadas. El primer número era el de Vanessa. Sin saber muy bien por qué, lo guardó en la agenda de contactos y luego volvió a meterse el teléfono en el bolsillo.

Todo iría mejor al día siguiente, se prometió a sí mismo.

Se pasó la noche dando vueltas y sin poder quitarse de la cabeza a Vanessa y el beso que jamás deberían haberse dado. Los ratos en los que consiguió dormir, sus sueños se llenaron de imágenes sin sentido que lo dejaron inquieto y de mal humor.

Se levantó de la cama a las seis de la mañana, tan confuso como el día anterior, se dio una ducha, se vistió y desayunó antes de intentar concentrarse un poco en el trabajo, pero su mente se empeñaba una y otra vez en pensar en Vanessa y en Mia. George le había dicho a eso de las once que iban a salir a la piscina y se dio cuenta de que quería ir con ellas.

–Voy a hacer unos largos –se dijo en voz alta. La natación siempre lo ayudaba a liberar tensiones.

Se puso el bañador y una camisa y se dirigió a la piscina. Nada más salir vio a Vanessa en el agua, con el pelo recogido en una coleta y ni una gota de maquillaje en la cara. En ese instante el vacío desapareció y dejó paso a un intenso deseo de estar con ella. Lo único que pudo pensar fue: «Marcus, estás metido en un buen lío».

Vanessa paseaba a Mia por la parte baja de la piscina, la dejaba flotando boca arriba mientras la pequeña golpeaba el agua con los puños y se reía encantada.

–Parece que lo estáis pasando muy bien.

Vanessa pegó un bote del susto al oír su voz y, al darse la vuelta, vio a Marcus acercándose a la piscina ataviado tan solo con una camisa y un bañador de natación.

Se le subió el corazón a la garganta y tuvo que apretar los dientes para no quedarse mirándolo con la boca abierta.

–Hola –dijo, tratando de sonar amable, pero sin parecer demasiado entusiasmada.

Mia, sin embargo, no ocultó su alegría al verlo y se puso a gritar de emoción.

Marcus se sentó con los pies metidos en el agua y las piernas ligeramente abiertas, con lo que Vanessa tuvo que hacer un verdadero esfuerzo para no mirar donde no debía.

–Hace calor –comentó él, mirando al cielo.

Y cada vez hacía más, pensó Vanessa, y no precisamente por el clima. Quizá no había sido buena idea desear que saliera a la piscina a estar con ellas. Sin darse cuenta, bajó la mirada hasta su boca y, al hacerlo, no pudo evitar pensar en el beso de la noche anterior y en lo que podría haber pasado si hubiesen seguido besándose.

Un desastre. Eso era lo que habría ocurrido. En esos momentos, el daño era ya irreparable, pero podía considerarlo como un desliz. Sin embargo, si volvieran a besarse, ya no podría justificarlo de ningún modo.

Mia no parecía tener el menor reparo en de-
mostrar lo que sentía; prácticamente saltaba entre
sus brazos, intentando irse con Marcus.

–Creo que quiere que te metas.

Marcus se lanzó al agua y resultó que estaba aún
más guapo mojado que seco. La ventaja era que le
veía menos parte del cuerpo.

Mia le lanzó los brazos.

Mia se agarró a él con fuerza y Vanessa sintió
cierta envidia de su hija.

Marcus agarró bien a la pequeña y la paseó por
toda la piscina, moviéndola en círculos. Mia movía
los bracitos y se reía con verdadero placer. A Vanessa le provocaba una enorme alegría, pero también
cierta tristeza verla tan a gusto con él.

–Cómo le gusta el agua –comentó Marcus, que
parecía estar pasándolo tan bien como la niña.

–Sí. Me gustaría mucho tener más tiempo para
llevarla a nadar de vez en cuando, pero donde vivimos no hay ninguna piscina cerca y siempre tengo
poco tiempo.

–Puede que algún día se convierta en nadadora
profesional –dijo Marcus.

–Gabriel me ha contado que tú solías competir y
que intentaste entrar en el equipo olímpico.

–Sí, pero el entrenamiento acabó interfiriendo
en mis obligaciones como príncipe, así que tuve
que dejarlo. Ahora solo lo hago para mantenerme
en forma.

Y funcionaba, pensó mientras admiraba los músculos de sus brazos.

–Es una lástima que no pudieras cumplir tu sueño.

–Fue una decepción, pero nada más. Siempre he sabido que dedicaría mi vida a otra cosa.

–Debe de ser increíble crecer con todo esto –dijo ella, mirando al palacio.

–No está mal –respondió Marcus con una enorme sonrisa.

Vanessa sonrió también. A veces era muy fácil olvidar que estaba ante un futuro rey porque parecía tan… normal.

–La verdad es que pasé la mayor parte de mi infancia en un colegio interno –le explicó Marcus–. Pero venía a casa siempre que había vacaciones.

–No sé si yo podría enviar a mi hija a que la educaran otros. Se me rompería el corazón.

–En mi familia es una tradición. Mi padre estuvo en un internado y su padre antes que él.

–Pero tu madre no, ¿verdad? ¿A ella no le importó que te fueras?

–Sé que me echaba de menos, pero así eran las cosas. Ella tenía sus obligaciones como reina y yo las mías.

De pronto se le ocurrió algo que le estremeció el corazón.

–Si me casara con tu padre, ¿tendría que enviar a Mia a un internado?

Marcus se quedó callado varios segundos como si no supiera qué responder, o no estuviera seguro de que ella estuviese preparada para escuchar la verdad.

–Supongo que es lo que esperaría él, sí –dijo por fin.

–¿Y si yo no quisiera hacerlo?

–Es tu hija, Vanessa. Debes criarla como consideres oportuno.

Pero si Gabriel la adoptara, entonces sería hija de ambos, algo que él ya había mencionado como posibilidad y que, hasta ese momento, a ella le había parecido bien. Ahora, de pronto, ya no estaba tan segura. ¿Y si no tenían la misma manera de educar? ¿Qué pasaría si tenían un hijo juntos? ¿Tendría entonces aún menos control?

Vanessa oyó sonar el teléfono desde la silla donde había dejado todas sus cosas. Salió lo más rápido posible del agua pensando que sería Gabriel, pero se le cayó el alma a los pies al ver que era su padre. No tuvo el valor suficiente de responder. Dejó que saltara el buzón de voz y, en cuanto sonó la señal, escuchó el mensaje.

–Hola, Nessy, soy yo, papá. Pensé que podría hablar contigo antes de que te fueras a trabajar. Solo llamaba para decirte que tengo una reunión en Los Ángeles la semana que viene, así que podremos vernos allí.

Vanessa cerró los ojos y suspiró.

–La reunión es el viernes, pero quiero tener tiempo para ver a mi nieta, así que tomaré un vuelo que llegue el jueves por la mañana.

No iba a ver a Vanessa, solo a Mia. Resultaba irónico, teniendo en cuenta que no le había prestado la menor atención a la niña hasta que tenía casi tres meses. Hasta ese momento, se había referido a ella como «el último error» de Vanessa.

Era muy propio de él presentarse de improviso y esperar que ella lo dejara todo para atenderlo, para después poner cara de decepción cuando no era capaz de cumplir todos sus caprichos.

Esa vez no iba a estar allí para defraudarlo...

Dejó el teléfono sobre la silla con un suspiro de resignación y, al levantar la vista, le sorprendió que Marcus y Mia estuviesen observándola.

—¿Todo bien? —le preguntó Marcus.

Esbozó una sonrisa forzada.

—Sí, sí.

—Estás mintiendo —adivinó él.

No se le escapaba nada. Al ver el modo en que la miraba, se preguntó si habría hecho bien poniéndose ese biquini en lugar del recatado bañador de una pieza. Se sentía completamente expuesta y... al mismo tiempo, le gustaba que la mirara así.

—Si no quieres hablar de ello, lo entiendo —siguió diciéndole.

Ella se sentó al borde de la piscina y metió los pies en el agua.

—Mi padre acaba de dejarme un mensaje. Va a ir a visitarme a Los Ángeles la semana que viene.

—¿Entonces vas a marcharte?

La antigua Vanessa lo habría hecho por miedo a decepcionarlo una vez más, pero tenía veinticuatro años, por el amor de Dios. Ya era hora de cortar el cordón umbilical y de vivir su vida como quisiese. La nueva Vanessa era fuerte y segura de sí misma, y ya no le importaba lo que pensara su padre.

Al menos eso era lo que quería pensar.

–No, no me voy –le dijo a Marcus–. Voy a llamarlo para decirle que no voy a estar, que tendremos que vernos en otro momento.

Marcus se quedó detrás de Vanessa mientras ella observaba una pieza del museo y pensó que, de todas las personas que había llevado allí a lo largo de los años, y habían sido muchas, ella era, con diferencia, la que más interés estaba mostrando. Leía todas las descripciones, absorbiendo la información que se le ofrecía sobre la exposición.

–Supongo que sabes que nadie te va a hacer ningún examen cuando volvamos al palacio –le dijo bromeando.

Ella sonrió, avergonzada.

–Estoy tardando mucho, ya lo sé. Es que me encanta la historia. Era mi asignatura preferida.

–A mí no me molesta –aseguró con total sinceridad. Como tampoco le había molestado pasar la tarde en la piscina con ella y con Mia el día anterior. Y no solo porque le gustara aquel pequeño biquini rosa. Simplemente le gustaba… ella.

Siguió observándola mientras ella leía, memorizando el perfil de su rostro, la delicadeza de sus rasgos y deseó poder acercarse y acariciarla. Últimamente deseaba hacerlo todo el tiempo y cada vez le resultaba más difícil contenerse. Y, por el modo en que lo miraba y por cómo se sonrojaba cuando estaban cerca, sabía que ella sentía lo mismo.

–¿Quieres cenar conmigo esta noche en la terraza?

Tuvo la impresión de haberla sorprendido con la invitación.

–Mmm, sí, encantada. ¿A qué hora?

–¿Qué te parece a las ocho?

–Perfecto, Mia se acuesta más o menos a esa hora. Supongo que te refieres a la terraza del ala oeste, la del comedor.

–Exacto.

–No sabía que fuera tan tarde –dijo mirando la hora–. Deberíamos irnos.

–Yo no tengo ninguna prisa, si quieres seguir viéndolo todo.

–No –de pronto parecía incómoda–. Gabriel dijo que me llamaría por Skype a las cuatro.

Estaba claro que estaba impaciente por hablar con él. ¿Y eso lo ponía celoso? Consiguió esbozar una sonrisa y responder con absoluta despreocupación.

–Entonces vámonos.

«No tienes motivo para estar nerviosa», se dijo Vanessa por enésima vez desde que había salido de su habitación para dirigirse a la terraza.

Habían pasado todo el día juntos y, aunque había habido algunos momentos ligeramente incómodos, Marcus se había comportado como un completo caballero y no tenía la menor duda de que haría lo mismo esa noche. Seguramente solo la había invitado a cenar con él porque se sentía obligado a atenderla.

Estaba segura de que con el tiempo dejaría de fantasear con que la tomara en sus brazos, la besara, le arrancara la ropa y le hiciera el amor apasionadamente.

Salió a la terraza exactamente a las siete y cincuenta y nueve. La mesa estaba servida para dos, adornada con velas y flores y con una botella de champán enfriándose en hielo junto a una de las sillas. El sol del atardecer teñía de rojo y naranja el cielo. Era el escenario perfecto para una cena romántica.

—Veo que lo has encontrado.

Se dio la vuelta al oír su voz y se encontró con Marcus apoyado en el umbral de la puerta con las manos metidas en los bolsillos y actitud relajada. Llevaba una camisa blanca y una chaqueta del mismo color café que sus ojos.

—Estás muy guapo —dijo ella sin pensar, y automáticamente deseó poder retirarlo.

—Parece que te sorprende —respondió él enarcando una ceja.

—¡No! Claro que no, es que… —se fijó en que Marcus sonreía con picardía y se dio cuenta de que estaba bromeando. Bajó la mirada hacia el vestido sin mangas de color coral que se había puesto. Había querido ponerse guapa sin parecer demasiado sexy y aquel atuendo sencillo era lo mejor que había encontrado—. No sabía si era una cena formal.

Marcus la miró de arriba abajo abiertamente, sin la menor vergüenza.

—Estás preciosa.

Él la miró con evidente deseo, pero lo peor de todo era que le gustaba lo que sentía cuando él la miraba de ese modo, por mucho que supiera que estaba mal.

Le ofreció una silla y, al ayudarla a sentarse, le rozó los hombros con los dedos, lo que le hizo sentir un escalofrío.

—¿Champán? —le ofreció Marcus.

Lo que menos necesitaba en esos momentos era que algo la embriagara aún más. Pero la botella ya estaba abierta.

—Solo una copa —se oyó decir, consciente de que tendría que estar muy pendiente para que esa copa no se convirtiera en dos o en tres.

Marcus se sentó frente a ella, levantó su copa, la miró a los ojos y dijo:

—Por mi padre.

Su mirada parecía estar lanzándole algún tipo de mensaje, pero no supo descifrarlo. ¿Pretendía con ese brindis dejar claros los límites de su relación, o querría decir otra cosa? En lugar de seguir analizándolo, Vanessa levantó su copa también.

—Por Gabriel —dijo, esperando que no hablaran nada más de él.

La llegada de uno de los mayordomos sirvió de distracción. El joven incluso le sonrió cuando ella le dio las gracias por servirle. Karin había empezado a mostrarse más amable y su doncella también le había sonreído esa mañana. Al menos era un pequeño avance.

La comida estaba deliciosa, pero no le sorprendió porque todo lo que había comido en el palacio desde su llegada había sido exquisito.

–¿Has hablado con mi padre esta tarde? –le preguntó Marcus cuando estuvieron de nuevo a solas–. ¿Te dijo que mi tía sigue en cuidados intensivos?

–Me contó que había pasado muy mala noche y que es posible que tengan que operarla. No parece que vaya a volver pronto.

–Sí, a mí me dijo que sigue bastante grave –le contó él y luego la miró a los ojos antes de añadir–. Me preguntó si te estaba atendiendo. Y si te trataba con respeto.

El corazón se le detuvo por un instante.

–¿No creerás que…?

–¿Que sospecha algo? –terminó Marcus sin rodeos, y luego meneó la cabeza–. No, creo que le sigue preocupando que no sea amable contigo.

Pues estaba siendo muy amable. Demasiado incluso.

–Me dijo que parecía que no quisieras hablar de mí.

Lo cierto era que no había sabido qué decirle a Gabriel. Le preocupaba que sospechara algo, así que había llegado a la conclusión de que era mejor no decir nada.

–No pretendía parecer esquiva y mucho menos

darle la impresión de que no me estabas tratando bien.

—Es que no quiero que piense que estoy descuidando mis deberes –le explicó Marcus.

—Claro. No te preocupes, le diré que estás siendo muy buen anfitrión.

Después de eso siguieron comiendo en silencio durante unos minutos, hasta que sonó el teléfono de Vanessa. Era Karin. Quizá Mia estuviese teniendo problemas para dormir después de lo inquieta que había estado todo el día.

—Mia se ha despertado con fiebre, señora.

No era la primera vez que tenía unos grados de más por culpa de los dientes. Eso explicaría su mal humor.

—¿Le has puesto el termómetro?

—Sí, señora. Tiene cuarenta con cinco.

Vanessa notó cómo se le helaba la sangre en las venas. Eso no podía ser por los dientes.

—Ahora mismo voy.

Marcus debió de ver el miedo en su mirada porque frunció el ceño y le preguntó:

—¿Qué ocurre?

—Es Mia –le dijo, ya de pie–. Tiene mucha fiebre.

Marcus se levantó inmediatamente, sacó el teléfono y marcó un número.

—George, avisa al doctor Stark y dile que necesitamos que venga lo más rápido posible.

Capítulo Siete

Aparte de un ligero resfriado que había tenido en primavera, Mia nunca había estado enferma. Vanessa subió corriendo la escalera con el corazón encogido, imaginándose lo peor, y con Marcus siguiéndola de cerca.

Karin había dejado a Mia en pañales y la mecía suavemente, acariciándole la espaldita. La pequeña tenía las mejillas rojas y los ojos casi cerrados. Vanessa se acercó a ella, alarmada. ¿Cómo era posible que se hubiese puesto tan enferma en solo dos horas?

—Mi pequeña —le dijo, poniéndole la mano en la frente—. ¿Le has dado algo?

—No, señora —respondió la niñera—. La he llamado en cuanto se ha despertado.

—En el baño hay un frasco de paracetamol, ¿podrías traérmelo, por favor? —le pidió Vanessa al tiempo que agarraba a su hija.

—¿Puedo hacer algo? —le preguntó Marcus desde la puerta, con actitud preocupada.

—Asegúrate de que el médico viene lo más pronto posible —apretaba a Mia contra su pecho y le temblaban las manos de miedo.

En cuanto Karin volvió con la medicina, le dio la dosis correcta, que la niña se tomó sin protestar.

—No sé qué puede ser. Nunca se pone mala.

—Seguro que no es nada grave. Seguramente solo sea un virus.

—Puede que debiera darle un baño de agua fresca para bajarle la fiebre.

—¿Por qué no esperas a ver qué dice el médico?

Miró el reloj que había colgado en la pared de enfrente.

—¿Cuándo crees que tardará?

—Poco. Está de servicio las veinticuatro horas. ¿Por qué no te sientas? Los niños notan cuando sus padres están nerviosos.

Tenía razón, tenía que controlarse. Por el modo en que estaba derrumbada en sus brazos, daba la impresión de que Mia no tenía fuerza para llorar. Se sentó en la mecedora con la pequeña y se movió suavemente.

—Siento haber interrumpido la cena. Puedes volver a terminar si quieres.

—No voy a irme a ninguna parte —anunció él, cruzándose de brazos.

Estaba acostumbrada a arreglárselas sola en todo lo que se refería a Mia, pero lo cierto era que resultaba reconfortante tener compañía. A veces se cansaba de estar sola.

El doctor Stark llegó pocos minutos después. Era un hombre mayor de expresión amable que le hizo un sinfín de preguntas a Vanessa y le pidió que le mostrara todos los informes médicos que tenía de Mia.

—Están en mi dormitorio —le dijo, poniéndose en pie para ir a buscarlos.

Marcus tendió los brazos para que le diera a la niña.

–Yo la agarraré mientras vas a por ellos.

Fue corriendo hasta su habitación, agarró la cartilla de vacunación y los demás informes médicos de Mia y volvió a toda prisa. Marcus estaba en la mecedora con Mia tumbada sobre su pecho y Karin observaba la escena desde la puerta con gesto de preocupación.

–Voy a necesitar que tumben a la pequeña –anunció el médico mientras estudiaba los informes.

Marcus dejó a la niña en el cambiador con el cariño y la suavidad con que lo habría hecho un padre y esperó impaciente mientras el médico la examinaba minuciosamente.

–No es nada grave –aseguró por fin el doctor después de varios minutos de angustia–. Tal y como me imaginaba, solo es una infección de oídos.

Vanessa sintió tal alivio que podría haberse echado a llorar. Agarró a su pequeña y la abrazó con fuerza.

–Puede que sea un virus, pero remitirá con un tratamiento de antibióticos y el paracetamol que ya le ha dado le bajará la fiebre.

De hecho, daba la impresión de que ya había empezado a causar efecto porque la niña ya no tenía las mejillas tan sonrojadas y parecía algo más despierta.

–¿Es posible que fuera por eso por lo que estuvo tan incómoda durante el vuelo?

–Es difícil saberlo, pero hay niños a los que les

afecta el cambio de presión y es posible que le dolieran los oídos.

Se le rompía el corazón de pensar que Mia hubiese estado sufriendo durante el vuelo sin ella saberlo.

—Haré que le traigan los antibióticos ahora mismo. Llámeme si no está mejor por la mañana. Yo volveré por aquí en un par de días.

Después de que el médico se hubiese marchado, Karin le preguntó si quería que la acostara, pero Vanessa negó con la cabeza.

—Voy a llevármela a mi habitación. Gracias por avisarme tan rápido.

La niñera asintió y se dispuso a marcharse, pero antes de hacerlo, se volvió a decirle:

—Es una niña muy fuerte, enseguida se pondrá bien —y luego le sonrió.

Cuando se quedaron a solas, Vanessa se volvió hacia Marcus.

—Gracias.

—¿Por qué? —preguntó él, que se había quitado la chaqueta y estaba apoyado en la pared.

—Por hacer venir al médico tan rápido. Por estar aquí conmigo. Supongo que no tendrás una cuna que se pueda llevar a mi dormitorio. Se mueve tanto durante la noche, que me da miedo que duerma en la cama conmigo.

Marcus sacó el teléfono de inmediato.

—Seguro que hay alguna.

La medicina llegó quince minutos después y poco más tarde llegó también la cuna a su dormitorio. Vanessa le dio el antibiótico a Mia y la acostó, satisfecha de comprobar que la temperatura le había vuelto prácticamente a la normalidad.

Una vez acostada y arropada la pequeña, volvió a la sala de estar, donde esperaba Marcus, de pie junto a la ventana, con la mirada perdida en el exterior. Su primer instinto fue ir junto a él, pasarle los brazos alrededor de la cintura y apoyar la cabeza en su espalda. Se imaginó estar así con él un rato, después él se volvería y la besaría como la había besado la otra noche.

Pero a pesar de desearlo con todo su corazón, no podía hacerlo.

—Creo que ya está mejor —le dijo, y Marcus se volvió hacia ella.

—Me alegro.

En ese momento empezó a sonar el teléfono que había sobre el escritorio y Vanessa fue a responder. Era Gabriel. Afortunadamente no podía verla, porque de hacerlo, seguramente habría adivinado que se sentía culpable por lo que acababa de pensar.

—Me ha llamado George y me ha dicho que Mia está enferma —dijo con evidente preocupación.

Le contó todo lo sucedido, omitiendo lo de la cena con Marcus.

—¿Qué necesitas que haga? ¿Quieres que vuelva a casa? Puedo tomar un vuelo por la mañana.

Podía decirle que sí y acabar así con aquella locura de Marcus. Pero en lugar de hacerlo, se oyó decir:

113

–Para cuando llegaras aquí, seguramente ya estaría bien. Ya ha empezado a bajarle la fiebre.

–¿Estás segura?

–Sí. Trina te necesita más que yo. Además, Marcus me está ayudando mucho –añadió, mirándolo.

Él la observaba con una expresión indescifrable.

–Llámame si necesitas cualquier cosa, a cualquier hora del día o de la noche –le pidió Gabriel.

–Lo haré, te lo prometo.

–Te dejo para que puedas atenderla. Te llamaré mañana.

–Muy bien.

–Buenas noches, Vanessa. Te quiero.

–Y yo a ti –dijo, y no mintió. Lo quería como amigo, ¿entonces por qué se sentía tan incómoda al decirlo delante de Marcus?

En realidad sabía perfectamente por qué.

Colgó el teléfono y se volvió hacia Marcus.

–Era tu padre –explicó como si fuese necesario.

–¿Se ha ofrecido a volver a casa?

Ella asintió.

–¿Y le has dicho que no?

Volvió a asentir.

Marcus comenzó a acercarse a ella.

–¿Por qué? ¿No es eso lo que querías?

–Sí, pero –la verdad era que tenía miedo. Miedo de que volviera y nada más mirarla a la cara se diera cuenta de lo que sentía por Marcus. Gabriel confiaba en ella y la amaba, y ella lo había traicionado. Y seguía traicionándolo cada vez que pensaba algo que no debía sobre su hijo. Pero no podía dejar de hacerlo. O quizá no quería–. A lo mejor necesitamos un poco de tiempo para solucionar esto antes de que vuelva.

–¿Solucionar el qué?

–Esto. Lo nuestro.

–Pensé que íbamos a hacer como si no hubiese pasado nada.

Ya no estaba tan segura de poder hacerlo, al menos, no en ese momento.

–Lo sé, pero creo que… necesito tiempo para pensar.

Dio un paso más hacia ella, mirándola fijamente a los ojos. Sintió que se le aceleraba el pulso y el corazón se le subía a la garganta.

–No me mires así, por favor.

–¿Cómo?

–Como si quisieras besarme otra vez.

–Pero es que es lo que quiero.

–Sabes que no es buena idea.

–Sí, puede que tengas razón.

–No deberías hacerlo.

–Entonces dime que no lo haga.

–¿Has oído una palabra de lo que te he contado todos estos días?

–Todas y cada una de ellas.

–Entonces sabrás que no deberías darme tanta responsabilidad, dada mi tendencia a cometer errores.

En sus labios apareció una sonrisa.

–En estos momentos, casi cuento con que lo hagas.

Vanessa levantó la mano hasta la mejilla de Marcus. Acarició ese hoyuelo que le salía al sonreír, como llevaba deseando hacerlo desde la primera vez que lo había visto.

Lo que estaban a punto de hacer era una locura, porque tenía la certeza de que esa vez no solo sería un beso. Pero teniéndolo delante, mirándola de ese modo, sencillamente no podía controlarse. Lo último que pensó mientras él se acercaba fue que era un gran error, pero un error maravilloso.

Entonces él la besó y esa vez fue diferente. Había en aquel beso una urgencia que hacía pensar que ninguno de los dos iba a tener remordimientos de conciencia. Era como si hubieran estado dirigiéndose hasta ese momento desde que había bajado del avión. Como si en el fondo siempre hubiesen sabido que era inevitable.

–Te deseo Vanessa –susurró él contra sus labios–. No me importa que no esté bien.

Se separó ligeramente de él para mirarlo a los ojos. ¿Cómo era posible que solo hiciera cinco días que conocía a aquel hombre tan maravilloso? Tenía la sensación de conocerlo hacía una eternidad.

En aquel momento lo único que le importaba era lo que sentían ellos dos.

Le pasó las manos por el pecho, algo que llevaba deseando hacer desde que lo había visto aquel día de pie en la puerta de su habitación, con la camisa desabrochada. La sensación fue tan agradable como había imaginado.

Marcus soltó una especie de rugido y entonces, como si acabara de perder el último rastro de autocontrol, la besó con fuerza al tiempo que la levantaba del suelo y la apretaba contra la pared con su propio cuerpo. Ella le echó las piernas alrededor de las caderas y se agarró a sus brazos. Aquel era el Marcus con el que tanto había fantaseado, el que la agarraría y la tomaría apasionadamente; en su interior estalló una alegría incontrolable.

La dejó en el suelo para levantarle el vestido rápidamente hasta quitárselo por la cabeza, era lo más parecido a arrancarle la ropa que podía hacer sin romper la delicada tela. Una vez la tuvo delante cubierta tan solo por las braguitas y el sujetador, se detuvo y la miró detenidamente.

—Eres increíble —le dijo.

No le había dicho que fuera guapa, sino increíble. ¿Sería posible que de verdad viera en ella algo más que una cara bonita? Cuando ella lo miraba a él, no veía un príncipe, sino a un hombre amable y divertido. Y quizá también algo vulnerable, un hombre que la miraba con el mismo cariño que ella a él. Quizá lo que sentía por Gabriel no pudiera ir nunca más allá de la amistad. Quizá estuviera destinada a enamorarse de Marcus y no de Gabriel. Porque por más que había luchado contra ello, la realidad era que se estaba enamorando de él.

Lo agarró de la mano y lo llevó hacia el sofá. Una parte de ella le decía que debería sentirse culpable, y seguramente así habría sido una semana antes, pero mientras se desnudaban, se acariciaban y se besaban el uno al otro, solo podía sentir que lo que estaba ocurriendo era perfecto.

Se tomó unos segundos para admirarlo desnudo. Tenía un físico impresionante, pero eso no era lo que le importaba, lo que más le gustaba de él era su mente, su forma de ser.

Se tumbó en el sofá, tirando de él para que se tumbara encima.

—Supongo que sabes que esto es una locura —le dijo él, sonriendo.

—Sí. Yo supongo que tú no haces locuras.

—Jamás.

—Yo tampoco —le acarició la cara, el cuello y fue bajando las manos por sus hombros. No podía dejar de tocarlo—. Quizá por eso sea tan increíble. Puede que los dos necesitemos un poco de locura.

—Puede ser —se acercó a besarla, pero se detuvo justo antes de que sus labios se rozaran siquiera y maldijo entre dientes.

—Si vas a decirme que no podemos seguir, me voy a enfadar bastante —le advirtió ella.

—No, es que acabo de darme cuenta de que no llevo protección.

—¿No? ¿No se supone que un príncipe debería estar preparado para todo? —hizo una pausa, frunciendo el ceño—. ¿O esos son los Boy Scouts?

—No tenía planeado que sucediera esto.

—¿De verdad?

Marcus se echó a reír.

–De verdad. Pero cuando apareciste con ese vestido...

–¿Estás de broma? Es lo menos sexy que tengo. De hecho, me lo he puesto para no tentarte.

–La verdad es que creo que aunque hubieses llevado un saco de patatas, habría querido arrancártelo.

Era muy emocionante saber que la deseaba tanto, que lo habría atraído hasta en su peor momento.

–Voy a tener que ir corriendo a mi habitación –dijo sin la menor gana.

–No es necesario, estoy tomando anticonceptivos.

–¿Estás segura?

–Sí. ¿Podemos dejar de hablar ya y pasar a lo bueno?

–Pensé que a las mujeres os gustaba hablar.

–Sí, pero todo tiene un límite.

No tuvo que decírselo dos veces. Estar allí con él, besándose y tocándose, resultaba de lo más natural; no había esa incomodidad y esa tensión de las primeras veces. Ni un ápice de duda, cualquier reserva que hubieran podido albergar desapareció en cuanto Marcus se sumergió dentro de ella. En ese momento desaparecieron todas las preocupaciones y las incertidumbres que siempre la acechaban. Cuando empezó a moverse, primero despacio y luego cada vez más rápido y más fuerte hasta que se descontrolaron de tal modo que se cayeron del sofá y tuvieron que seguir en la alfombra, supo de manera instantánea que había ocurrido lo que tenía que ocurrir. Marcus hacía que sintiera lo que debía sentir una mujer. Se sentía deseada, cuidada y protegida, pero también se sentía fuerte, como si nada ni nadie pudiera acabar con ella.

Pero también sintió que se le rompía el corazón y el alma porque, a pesar de lo mucho que deseaba a Marcus, no podría estar con él y le aterraba pensar que ningún otro hombre pudiera jamás hacerle sentir de nuevo lo que estaba sintiendo con él.

—Estamos perdidos, ¿verdad? —le preguntó Vanessa, acurrucada junto a él en el suelo, con la respiración tan entrecortada como la de él.

Estaba resplandeciente después de la que, para él, había sido una de las mejores experiencias sexuales de su vida. No, había sido la mejor.

Quizá lo que hacía que fuera tan emocionante fuera que ambos sabían que era una relación prohibida. O quizá que Vanessa no parecía tener complejos e inseguridades sobre su aspecto, o que se entregaba en cuerpo y alma.

O quizá fuera porque Vanessa le gustaba de verdad.

Tal y como ella había dicho, estaban perdidos. ¿Cómo iba a explicárselo a su padre? «Lo siento, pero me he acostado con la mujer a la que amas y creo que me estoy enamorando de ella».

La mujer de otro hombre era terreno prohibido y más entre familia. Sin embargo él se había adentrado en dicho terreno y lo peor de todo era que no conseguía sentirse culpable por ello.

–Mi padre no debe enterarse –dijo.

–Lo sé –respondió ella–. Y yo no puedo casarme con él.

–Lo sé.

Le daba mucha lástima, pero era evidente que Vanessa no quería a su padre como debía hacerlo una esposa. Quizá al interponerse entre ellos, les hubiese hecho un favor. Ella era tan buena que habría sido capaz de sacrificar su propia felicidad solo para hacer feliz a su padre, pero con el tiempo los dos habrían sido muy desgraciados. Los había salvado de un fracaso seguro en realidad.

Claro que quizá solo estaba intentando racionalizar algo injustificable.

Vanessa le dio la mano, entrelazando los dedos con los suyos.

–No ha sido culpa tuya, así que por favor no te martirices.

–No es culpa de nadie –respondió él, apretándole la mano–. A veces estas cosas… pasan.

Ella se incorporó para mirarlo.

–Sabes que, sintamos lo que sintamos, tú y yo no podemos…

–Lo sé –y solo con pensarlo sentía un terrible dolor en el pecho.

No tenía ninguna duda de que Vanessa era la mujer de su vida. Estaba destinado a estar con ella, y con Mia, pero no podía ser. No, si quería seguir teniendo una buena relación con su padre. Parecía que el universo estuviera jugando con ellos de la manera más cruel. Pero en su mundo el honor y la familia eran lo más importante. Sus sentimientos y su felicidad eran irrelevantes.

No era justo, no, pero, ¿quién había dicho que la vida tuviera que ser justa?

—Tengo que llamarlo para decirle que lo nuestro se ha acabado –anunció Vanessa.

Pero en cuanto rompiera con su padre, tendría que marcharse, no tendría ninguna excusa para quedarse. La idea de no volver a estar con ella nunca más hizo que se le acelerara el corazón angustiosamente. No estaba preparado para renunciar a ella tan pronto.

—¿No crees que sería mejor que esperaras a que vuelva y decírselo cara a cara?

Vanessa frunció el ceño.

—No me parece bien dejarle creer que todo va bien y luego dejarlo en cuanto llegue.

—¿De verdad crees que es el mejor momento para decírselo? –insistió, buscando la manera de retenerla–. Está muy preocupado por mi tía.

—Eso no lo había pensado –admitió ella–. Es verdad que sería muy desconsiderado, pero no creo que pueda esperar hasta que vuelva. Podría tardar semanas.

—Entonces espera por lo menos hasta que mi tía salga de cuidados intensivos.

—No sé…

¿Qué estaba haciendo? Intentaba manipularla.

—La verdad es que no me importa lo que sienta

mi padre. Estoy siendo un egoísta, pero no quiero que te vayas –le tomó el rostro entre las manos y la miró a los ojos–. Quédate conmigo, Vanessa. Solo unos días más.

Ella lo miró con profunda tristeza y con confusión.

–Solo servirá para torturarnos.

–No me importa. Quiero estar contigo un poco más de tiempo.

Lo necesitaba. Y él nunca había necesitado a nadie.

–Tendremos que ser muy discretos. Si Gabriel se enterara…

–No se enterará. Te lo prometo.

Vanessa se quedó callada unos segundos, luego sonrió y le puso la mano en la cara.

–Está bien. Solo unos días más.

Marcus respiró aliviado. Sabía que solo estaban retrasando lo inevitable, pero no le importaba. Llevaba toda la vida haciendo sacrificios y por una vez iba a ser un poco egoísta.

–Luego tendré que irme y seguir con mi vida –le advirtió.

–Lo sé.

Pero por ahora era suya y pensaba aprovechar al máximo el poco tiempo que tenían.

–¿Que has hecho qué? –gritó Jessy–. Estoy dos días sin hablar contigo y mira lo que pasa.

Vanessa cerró los ojos. Quizá no había sido buena idea contarle a su amiga que se había acostado con Marcus, varias veces. Pero iba a explotar si no hablaba con alguien.

—Tú no te acuestas con hombres a los que conoces desde hace una semana —le recordó Jessy—. Si a veces les haces esperar meses.

—Lo sé. Y es increíble que hayamos aguantado tanto tiempo.

Jessy se echó a reír.

—Madre mía. ¿Quién eres y qué has hecho con mi mejor amiga?

—Sé que no es propio de mí. Pero me alegro de que haya ocurrido porque me ha cambiado. A mí también me cuesta creerlo, pero me siento… mejor persona.

—¿Te acuestas con el hijo del hombre con el que se supone que vas a casarte y te sientes mejor persona? —le preguntó, riéndose.

—Es difícil de explicar y, aunque me cuesta reconocerlo, creo que tenías razón cuando me dijiste que Gabriel era una especie de figura paterna para mí. Supongo que en el fondo sabía que no quería a Gabriel como se debe querer a un marido y que nunca podría hacerlo, pero parece que él me quiere tanto, que no quería defraudarlo. Entonces conocí a Marcus y todo cambió. Si no llega a ser por él, seguramente habría cometido otro tremendo error.

—Debe de gustarte mucho.

—Eso es quedarse muy corta.

—¿Estás diciendo que te has enamorado de él? ¿En solo cinco días?

—Es increíble, ¿verdad?

—¿Y él qué siente?

—Da igual. No podemos estar juntos. ¿Cómo crees que se sentiría Gabriel si le dijera que lo dejo por su hijo? Lo más probable es que nunca perdonara a Marcus y yo nunca le pediría a Marcus que eligiese entre su padre y yo. El honor y la familia son muy importantes para él. Es una de las cosas que me gustan de él.

—Lo que te gusta de él es lo que impide que estéis juntos —resumió Jessy.

—Algo así —y la idea de tener que separarse de él le partía el corazón en dos. Sabía que cuanto más lo retrasara, más iban a sufrir, y sin embargo allí seguía—. Vamos a hablar de otra cosa porque esto me pone muy triste.

Jessy titubeó un poco al principio, pero luego le contó lo bien que había ido su viaje con Wayne y lo amable que había sido su familia con ella. Al menos una de las dos tenía una relación con futuro.

—Sé que no quieres hablar de ello —le dijo después—. Pero quiero decirte algo más sobre tu aventura con el príncipe. Estoy orgullosa de ti.

—¿Por haberme acostado con el hijo del hombre con el que me iba a casar?

—Sé que suena raro, pero siempre intentas hacer feliz a todo el mundo y me alegro de que por una vez hayas sido egoísta y hayas hecho algo que te haga feliz a ti. Es todo un avance.

—Nunca habría pensado que fuera bueno ser egoísta.

–A veces lo es.

–¿Sabes qué va a ser lo peor cuando me vaya? Mia se ha encariñado mucho con él y parece que él también con ella. Sería un padre estupendo.

–Conocerás a otro, Vanessa, y volverás a enamorarte.

Ella no estaba tan segura. Nunca antes había sentido por nadie lo que sentía por Marcus; de hecho ni siquiera había creído que fuera posible amar tanto a alguien. Necesitarlo como lo necesitaba y a él y, al mismo tiempo, sentirse más libre de lo que se había sentido jamás. Por eso no creía que fuera posible que volviera a ocurrir. ¿Y si Marcus era el hombre de su vida? ¿Y si era su destino? ¿Sería también su destino tener que abandonarlo?

Capítulo Ocho

La despertó el timbre del teléfono. Su padre le había dejado otro mensaje, el tercero en tres días y en aquel parecía más enfadado que en los anteriores.

—Nessy, ¿por qué no me has llamado? En el hotel me han dicho que has pedido unos días de permiso. Quiero saber qué está pasando. ¿Te has metido en otro lío?

Vanessa suspiró con resignación y triste de que su padre siempre pensase lo peor de ella.

A su lado, Marcus se movió, despertándose lentamente como hacía siempre. O al menos, las tres últimas mañanas, después de pasar la noche juntos. Y a ella le encantaba ver aquel pequeño ritual de estiramientos y bostezos. Seguía sintiéndose culpable por lo que estaban haciendo, pero era incapaz de apartarse de él.

—¿Qué hora es? —le preguntó con la voz todavía ronca del sueño.

—Casi las ocho.

Marcus se echó a reír.

—Es la tercera noche que duermo más de siete horas seguidas. No sabes el tiempo que hacía que no dormía así.

–Lo sé, soy muy aburrida.

La abrazó y la arrastró para colocársela encima. Ella se sentó sobre sus caderas.

–Lo que ocurre es que me dejas agotado –le dijo con un beso.

Llevaba dos días lloviendo, dos días que habían pasado en el palacio, sin apenas salir de la habitación, charlando y jugando con Mia, y cuando la pequeña dormía, haciendo el amor una y otra vez. Aunque ya había pasado una semana, ninguno de los dos había sacado el tema de su marcha, pero era algo que flotaba en el ambiente, pero parecía que el momento no llegaba y deseaba que no lo hiciera nunca.

Definitivamente, Marcus era el hombre de su vida, su alma gemela, y estaba completamente segura de ello. Por primera vez desde que tenía uso de razón, no tenía ninguna duda, ni le preocupaba estar cometiendo un error.

No sabía bien lo que sentía él. Desde luego no quería que se marchase, pero, ¿estaba enamorado de ella? No se lo había dicho, pero tampoco ella a él. Claro que tampoco cambiaría nada que lo hiciesen.

Solo eran palabras. Además, aunque la amase, lo primero para él debía de ser la relación con su padre.

Después de hacer el amor con Marcus por primera vez, le había costado mucho hablar con Gabriel, segura de que en cuanto la viera por Skype se daría cuenta de lo ocurrido, pero había sido él el que no había aparecido. La había llamado al día siguiente para disculparse y decirle que había problemas de seguridad, por lo que era mejor que se limitasen a hablar por teléfono. Lo cierto era que había sido un alivio para ella, que se sentía cada vez más lejos de Gabriel.

A partir de entonces, las llamadas se habían hecho más cortas y superficiales. Un día habían salido a hacer una excursión a las montañas, a un lugar sin cobertura, por lo que no había podido hablar con él, pero tampoco se había acordado después de comprobar si le había dejado un mensaje. Aunque había sido culpa suya que no hubiesen hablado, al día siguiente había sido él el que se había disculpado porque, según le había dicho, estaba muy ocupado entre el trabajo y Trina y no había podido volver a llamarla.

Vanessa esperaba que le preguntara si le pasaba algo, pero si Gabriel había notado algún cambio en la relación, no lo había mencionado. Trina había mejorado mucho y, aunque Gabriel no quería dejarla sola todavía, no tardaría en hacerlo. Era solo cuestión de tiempo.

Y luego estaba lo de su padre.

–Pareces preocupada –le dijo Marcus, apartándole el pelo de la cara y adivinando una vez más sus pensamientos.

–Ha vuelto a llamar mi padre. Se ha enterado de que no estoy trabajando y ha dado por hecho que me he metido en algún lío. Dice que lo llame de inmediato.

–Deberías hacerlo. Deberías haberlo llamado hace días.

–Lo sé –admitió, refugiándose contra su pecho–. Pero no quiero hacerlo.

–Deja de comportarte como una cobarde y llámalo.

–Es que soy una cobarde.

–Eso no es cierto.

En lo que se refería a su padre, sí que lo era.

–Lo llamaré mañana, de verdad.

–No, llámalo ahora –le ordenó, apartándose de ella, después se levantó de la cama y se fue al cuarto de baño, gloriosamente desnudo. Se detuvo en la puerta para decirle–: Me voy a dar una ducha y, si quieres acompañarme, será mejor que empieces a marcar el número.

Agarró el teléfono con un suspiro de resignación y mirando la puerta del baño, ahora cerrada.

–Nessy, ¿dónde demonios estabas? Estaba muy preocupado. ¿Dónde está Mia? ¿Está bien?

–Perdona por no haberte llamado, es que he salido del país –le explicó Vanessa, preguntándose si estaba preocupado por las dos o solo por Mia.

–¿Has salido del país? –repitió como si fuera un crimen imperdonable–. ¿Por qué no me lo dijiste? ¿Y dónde está mi nieta?

–Conmigo.

–¿Dónde estás?

Sabía que estaba furioso por no poder controlar la situación; si le hubiese pedido permiso para marcharse, no habría habido el menor problema. Normalmente cuando le hablaba así Vanessa volvía a sentirse como una niña pequeña, pero esa vez solo se sentía molesta.

—Estoy en Varieo, ese pequeño país cerca de…

—Sé dónde está. ¿Qué diablos estás haciendo allí? ¿Es que te han despedido del hotel?

Empezaba a estar algo más que molesta.

—No, no me han despedido.

—No me hables en ese tono, jovencita.

¿Jovencita? ¿Acaso volvía a tener cinco años?

De pronto estalló algo dentro de ella y se dio cuenta de que estaba harta de que la tratase como si fuera una irresponsable.

—Tengo veinticuatro años, papá. Merezco el mismo respeto que tú me exiges a mí. Estoy harta de que me hables de esa manera y de que siempre pienses lo peor de mí. Ya está bien de que me hagas sentir que nada de lo que hago es lo bastante bueno para ti. Soy una persona inteligente y me va muy bien; tengo muchos amigos que me quieren. Así que, si no se te ocurre nada positivo que decirme, no te molestes en volver a llamarme.

Colgó el teléfono y, aunque el corazón estaba a punto de salírsele del pecho y le temblaban las manos, se sentía bien. Se sentía fantásticamente bien.

El timbre del teléfono la sobresaltó. Era su padre. Sintió la tentación de no responder y dejar que saltara el contestador, pero ya que había empezado, lo mejor sería terminarlo.

—Lo siento.

Aquellas dos palabras la dejaron boquiabierta.

–¿Qué?

–He dicho que lo siento –repitió, y parecía realmente compungido.

No recordaba haber oído a su padre disculparse por nada jamás.

–Y yo siento haber levantado la voz –pero entonces se dio cuenta de que no había hecho nada malo–. No, la verdad es que no lo siento. Te lo merecías.

–Tienes razón. No tenía derecho a hablarte así, pero tenía miedo de que te hubiese pasado algo.

–Estoy bien y Mia está bien. Siento haberte asustado. Solo hemos venido a visitar a… unos amigos.

–No sabía que tuvieras amigos allí.

–Lo conocí en el hotel.

–¿Entonces es un hombre?

–Sí. Es… –¿por qué no decirle la verdad? Al fin y al cabo, le daba igual lo que pensara–. Es el rey.

–¿El rey?

–Sí y, lo creas o no, quiere casarse conmigo.

–¿Te vas a casar con un rey? –parecía contento. Por una vez le gustaba algo de ella, pero su alegría no iba a durar mucho.

–No, no voy a casarme con él porque estoy enamorada de otro.

–¿De otro rey? –preguntó con sarcasmo.

–No.

–¿Entonces de quién?

–Del príncipe. De su hijo.

–¡Vanessa!

Se preparó para escuchar gritos y maldiciones

de todo tipo, pero no fue así. Podía sentir la tensión a través del teléfono, pero su padre no dijo nada.

—¿Estás bien, papá?

—Un poco confundido, la verdad. ¿Cómo y cuándo ha ocurrido todo esto?

No podía culparlo, a veces ella misma no podía creer lo que estaban haciendo.

—Como te he dicho, lo conocí en el hotel y nos hicimos amigos.

—¿Al rey o al príncipe?

—Al rey, a Gabriel. Él se enamoró de mí, pero yo solo le quería como amigo. Gabriel estaba convencido de que si lo conocía mejor, acabaría enamorándome también, así que me invitó a venir a pasar un tiempo a su país. El problema fue que cuando yo llegué había tenido que marcharse y le pidió a Marcus, el príncipe, que me atendiera. Así fue como… bueno, nos enamoramos.

—¿Qué edad tiene ese príncipe?

—Veintiocho años, creo.

—¿Y el rey?

—Cincuenta y seis —dijo y prácticamente pudo oír el horror de su padre—. Otro de los motivos por los que no estaba segura de querer casarme con él.

—Comprendo —fue todo lo que dijo, pero era evidente que quería decir más.

Vanessa apreció el esfuerzo que estaba haciendo y pensó que quizá debería haberse enfrentado a él mucho antes.

—Entonces deduzco que vas a casarte con el príncipe.

–No, no me voy a casar con nadie.

–Pensé que lo amabas.

–Y lo amo, pero no podría hacerle eso a Gabriel. Es un buen hombre, papá, y ha sufrido mucho últimamente. Él me quiere, no puedo traicionarlo. Me siento fatal porque las cosas hayan salido así, siento que le he fallado. Por no hablar de que esto podría acabar con la relación entre su hijo y él. No podría hacerles algo así a ninguno de los dos. Se necesitan el uno al otro más de lo que me necesitan a mí.

Su padre se quedó callado unos segundos antes de volver a hablar por fin.

–Bueno, veo que has tenido unas semanas muy ajetreadas.

Normalmente aquel comentario habría estado cargado de sarcasmo, pero ahora solo parecía sorprendido.

–Ni te lo imaginas –dijo con una mezcla de alegría y tristeza, que era algo que sentía a menudo últimamente.

–Entonces supongo que no te veré el jueves.

–No, pero volveremos pronto y quizá podamos pasar por Florida antes de ir a casa.

–Me encantaría que lo hicierais –hizo una pausa antes de decir–. ¿Entonces de verdad quieres a ese hombre?

–Sí y Mia también lo adora. Se ha encariñado mucho con él y le encanta estar aquí.

–¿Estás segura de que vas a hacer lo mejor? Marchándote, quiero decir.

–No puedo hacer otra cosa.

–Bueno, cruzaré los dedos para que encuentres otra solución. Nessy, sé que he sido muy duro contigo y quizá no te lo diga muy a menudo, pero estoy orgulloso de ti.

Cuánto tiempo llevaba esperando oír eso, sin embargo, al escucharlo se dio cuenta de que su autoestima y su valía como persona no dependían de ello.

–Gracias, papá.

–Es admirable que estés dispuesta a sacrificar tu felicidad por proteger los sentimientos del rey.

–No lo hago para parecer admirable.

–Precisamente por eso lo es. Llámame cuando vayas a venir.

–Lo haré. Te quiero, papá.

–Yo a ti también, Nessy.

Colgó el teléfono pensando que era lo más bonito que le había dicho nunca su padre.

–¿No te alegras de haber llamado?

Al levantar la mirada se encontró con Marcus, desnudo en la puerta del baño, secándose el pelo con una toalla y se preguntó cuánto tiempo llevaría allí. ¿La habría oído decir que lo amaba?

–Le he dicho lo que sentía y, en lugar de ponerse furioso, me ha pedido disculpas.

–Has sido muy valiente.

–Puede que sí que lo sea después de todo. No soy tan ingenua como para pensar que a partir de ahora todo va a ser muy fácil. Estoy segura de que volverá a ser el mismo de siempre porque él es así y tendré que mantenerme firme. Pero al menos es un comienzo.

Marcus dejó caer la toalla y fue hacia la cama. Estaba impresionante, era puro atractivo. Resultaba inconcebible que una mujer hubiera podido serle infiel; su ex debía de estar loca.

Apartó las sábanas, tiró de ella hacia abajo y se tumbó encima, entre sus piernas.

–Gracias por hacerme creer en mí misma –le dijo ella, acariciándole la cara recién afeitada.

–Eso no lo he hecho yo –respondió Marcus, acompañando sus palabras con un beso en los labios–. Yo solo te he señalado algo que ya estaba ahí. Tú decidiste verlo.

Pero sin él jamás lo habría hecho. Ahora era alguien completamente distinto, alguien mejor. Y en gran parte, era gracias a él.

–Otra cosa –le susurró al tiempo que la besaba en la mejilla y luego en el cuello.

Ella cerró los ojos y suspiró.

–¿Sí?

–Yo también te quiero.

Después de una semana de lluvias torrenciales, el cielo por fin se despejó y salió el sol, atrayéndolos al exterior a pesar de lo mucho que Marcus habría deseado pasar un día más en la habitación de Vanessa.

Dejaron a Mia con Karin, que parecía contenta de tener por fin algo que hacer, ya que Vanessa se hacía cargo de su hija en todo momento, y salieron los dos juntos en su coche.

–Mi abuelo y yo solíamos salir a pasear por el campo en este coche y me contaba historias de cuando era niño. Él se había convertido en rey con solo diecinueve años; en ese momento a mí me parecía emocionante, pero luego fui dándome cuenta de la responsabilidad que implicaba y empezó a preocuparme que mi padre muriera y yo tuviera que reinar sin estar preparado.

Vanessa guardó silencio unos segundos.

–¿Qué te parece si en lugar de salir a navegar como habías propuesto, me llevas al campo, adonde ibas con tu abuelo?

–¿De verdad?

–Sí. Me encantaría ver los lugares a los que te llevaba.

–¿No te aburrirás?

Vanessa se acercó, le agarró la mano y sonrió.

–Contigo, imposible.

–De acuerdo.

Vanessa parecía disfrutar de cosas tan sencillas como charlar, jugar con su hija o salir a pasear en coche. No pedía ni exigía nada, pero lo daba todo, mucho más de lo que él jamás le pediría. Ni siquiera había imaginado que pudieran existir mujeres como ella. Por eso le parecía tan ridículo haber podido creer que pudiera tener motivos ocultos.

–¿Puedo hacerte una pregunta? –le dijo y, al ver que él asentía, continuó–: ¿Cuándo dejaste de pensar que iba tras la fortuna de tu padre?

Parecía que, además, tenía el don de leerle el pensamiento.

—Cuando fuimos al pueblo y no utilizaste ni una vez la tarjeta de crédito que te dejó mi padre.

Vanessa lo miró boquiabierta.

—¿Lo sabías?

—Me lo dijo la secretaria de mi padre porque estaba preocupada.

—La verdad es que ni siquiera la he sacado del cajón.

—Si no hubiese bastado con la tarjeta de crédito, me lo habría confirmado el modo en que reaccionaste cuando te regalé los pendientes.

Ella se llevó la mano a las orejas.

—¿Por qué?

—Porque nunca había visto a una mujer emocionarse tanto por un regalo de tan poco valor.

—Lo que importa es que me los compraste porque quisiste, porque sabías que me gustaban, no porque estuvieses intentando ganarte mi cariño. Me compraste los pendientes porque eres amable.

—Yo no soy amable.

—Claro que lo eres —aseguró ella, riéndose—. Eres uno de los hombres más amables que he conocido. Tengo la sensación de estar tentando a la suerte quedándome tanto tiempo porque en cualquier momento alguien podría darse cuenta de lo que está pasando y la noticia podría llegar a oídos de Gabriel. No quiero hacerle daño.

Tampoco él quería hacer daño a su padre, pero cada vez le resultaba más difícil la idea de dejarla marchar.

—¿Y si se enterara? Entonces a lo mejor no tendrías que marcharte, podríamos explicárselo y hacérselo comprender.

Vanessa cerró los ojos y suspiró.

–No puedo, Marcus. No podría hacerle eso, ni a él ni a ti. Jamás me perdonaría haberme interpuesto entre vosotros.

–Acabaría superándolo. Estoy seguro de que no le costará tanto cuando vea lo mucho que significas para mí.

–¿Y si no es así? No estoy dispuesta a correr ese riesgo.

Si fuera como las mujeres que había conocido hasta entonces, no le habría importado quién saliera perjudicado. Pero claro, entonces él no se habría enamorado de ella. También sabía que si había decidido marcharse, nada podría hacerla cambiar de opinión.

Esa obstinación suya era muy frustrante, pero también admirable. Le gustaba que siempre le desafiara y lo obligara a ser sincero. La amaba demasiado como para correr el riesgo de hacer algo que provocara que ella dejara de respetarlo.

Volvieron al palacio después de un paseo de tres horas en el coche y de una breve parada en un pequeño pueblo para comer. Marcus la acompañó a la habitación de Mia, donde descubrieron que acababa de quedarse dormida.

–Avísame en cuanto se despierte –le pidió Vanessa a Karin, luego se volvió hacia Marcus y le lanzó una de esas miradas que no dejaba lugar a dudas sobre sus intenciones.

Pero esa vez Marcus propuso que fueran a su habitación, en lugar de a la de ella.

—Pero, Marcus, si alguien nos viera entrar juntos...

—Esa zona del palacio es completamente privada. No tenemos por qué hacer nada, excepto hablar, y podríamos dejar la puerta abierta si tú quieres.

—No sé.

A pesar del riesgo que existía de que los viera algún empleado, Marcus la agarró de la mano.

—No nos queda mucho tiempo. Dame la oportunidad de que al menos comparta contigo una parte de mi vida.

La vio ablandarse frente a sus ojos y finalmente sonrió.

—Está bien.

Los empleados con los que se cruzaron por el camino hacia su habitación se limitaron a saludarlos con una inclinación de cabeza, sin ningún tipo de mirada sospechosa.

—¡Vaya! —exclamó Vanessa en cuanto abrió la puerta—. Pero esto es todo un apartamento.

—Tiene cocina, despacho, salón y dormitorio.

—Es muy bonito —se volvió hacia él—. Ya puedes cerrar la puerta —otra vez tenía esa mirada.

—Pensé que habíamos dicho que...

—Cierra la puerta, Marcus. Con llave.

Marcus obedeció y luego fue hasta ella, que le

pasó la mano por el pecho lentamente antes de empezar a desabrocharle la camisa.

–¿Entonces has cambiado de opinión?

–Puede que sea por el peligro, pero cuanto más nos acercábamos, más excitada estaba –se puso de puntillas y lo besó en la boca–. Y a lo mejor es porque cuando estoy a solas contigo, no puedo controlarme. Sé que está mal, pero es superior a mis fuerzas. Soy una persona horrible, ¿verdad?

–Si lo eres, yo también lo soy –porque el sentimiento era mutuo–. Puede que eso quiera decir que nos merecemos el uno al otro.

Entonces la levantó del suelo y se la echó al hombro, a lo que ella respondió con un grito de sorpresa y con una carcajada.

–¡Marcus! No es que me importe, pero, ¿qué haces?

–Es para demostrarte que no soy tan amable como tú crees –le dijo mientras la llevaba al dormitorio.

–Me queda claro –dijo Vanessa en cuanto la dejó en el suelo, luego le puso las manos en los hombros, lo tiró de espaldas sobre la cama y lo besó apasionadamente.

Cada vez que hacían el amor pensaba que era imposible que fuera mejor que la anterior, pero Vanessa siempre acababa superándose. Parecía saber qué tenía que hacer para volverlo completamente loco. Era una amante atrevida, sexy y segura de sí misma. Si había un amante ideal para cada persona, estaba claro que él había encontrado la suya.

Claro que quizá no fuera tanto por sus dotes como amante como por el amor y el cariño que había entre los dos. Estaba pensando eso cuando notó su mano colándosele bajo los pantalones y agarrándole la erección, y apenas pudo seguir pensando. Solo pudo preguntarse cómo sería esa vez, lento y tierno o rápido y apasionado. O quizá pondría esa mirada traviesa y haría algo por lo que muchas mujeres se sonrojarían.

Vanessa se sentó encima de él y se quitó el vestido.

Rápido y apasionado, pensó él con satisfacción mientras ella bajaba sobre su erección y comenzaba a sentir ya su interior caliente y húmedo. Entonces tuvo que dejar de pensar hasta que, después de alcanzar juntos el clímax y quedar rendidos el uno en los brazos del otro, se dijo a sí mismo que tenía que haber una manera de convencerla para que se quedara.

Pero al mismo tiempo, su conciencia le planteó una nueva duda: ¿para qué?

Capítulo Nueve

Marcus se despertó con un extraño ruido.

¿Qué demonios era? Tardó unos segundos en darse cuenta de que estaban llamando a su puerta.

Abrió los ojos y miró al reloj, era casi la hora de la cena. Vanessa y él se habían quedado dormidos. Despertó a Vanessa y le dijo que era muy tarde.

–Mia debe de haberse despertado hace rato –dijo ella en cuanto reaccionó–. ¿Por qué no me habrá llamado Karin? ¿Qué es ese ruido?

Él fue a abrir después de peinarse un poco con las manos y de ponerse unos pantalones.

–¡Aquí estás! –exclamó Cleo en cuanto abrió la puerta–. La pobre Karin está nerviosísima. Mia se despertó de la siesta hace una hora, pero Karin no encuentra a Vanessa; no responde al teléfono y no está por ninguna parte. Pensé que a lo mejor tú sabías dónde encontrarla.

Marcus creyó ver cierta sospecha en sus ojos.

–Habrá salido a dar un paseo y se habrá dejado el teléfono. Dame un segundo para vestirme y la encontraré.

A su espalda, Marcus oyó un ¡ay! y un golpe. Se dio media vuelta y se encontró a Vanessa envuelta en una sábana y tirada en el suelo con el cable de la lámpara de mesa enrollado al tobillo. Pero lo peor de todo era que la puerta estaba completamente abierta y Cleo estaba viendo lo mismo que él.

–Señorita Reynolds –dijo Cleo, con evidente tensión–. ¿Podría llamar a Karin y decirle que está bien y que no la han secuestrado?

–Sí, señora –respondió Vanessa, con la voz temblorosa y las mejillas sonrojadas por la vergüenza.

–¿Podría hablar un momento con usted, Alteza? –le pidió entonces Cleo, y Marcus no tuvo más remedio que salir al pasillo con ella–. ¿En qué estaba pensando? –le preguntó enseguida, con una mirada de reprobación.

A nadie más le habría permitido que lo reprendiera de ese modo, pero Cleo era más un miembro más de la familia que una empleada.

Tuvo que explicarle que ninguno de los dos habían planeado lo sucedido y que, por supuesto, Vanessa no iba a casarse con su padre.

–¡Eso espero! Su padre merece algo mejor que una mujer capaz de…

–No fue culpa suya –la interrumpió Marcus con voz tajante.

–¿Está dispuesto a poner en peligro la relación con su padre por una aventurilla?

–No, pero sí por la mujer de la que estoy locamente enamorado.

Eso hizo que Cleo retirara la mano y lo mirara boquiabierta.

–¿La ama?

–Es todo lo que jamás habría soñado y todo lo

que podría desear. Ella también me ama y eso, teniendo en cuenta mi historial, es absolutamente formidable. Pero Vanessa se niega rotundamente a hacer nada que pueda interponerse entre mi padre y yo.

–Hace muy bien.

–A veces pienso que me da igual lo que ocurra con mi padre, pero la quiero tanto que jamás haría nada en contra de sus deseos.

–No sé qué decir –admitió Cleo, meneando la cabeza–. Siento que las cosas sean así –le dijo antes de darle un beso y prometerle que la conversación quedaba entre ellos dos.

Marcus dejó a Cleo en el pasillo con cara de tristeza y volvió a la habitación junto a Vanessa.

Estaba poniéndose las sandalias cuando Marcus volvió a entrar.

–Lo siento mucho, Marcus. He salido a buscar el teléfono, pero me he tropezado con esa estúpida lámpara –le explicó–. No sé cómo pude quedarme dormida.

–No has sido la única. No pasa nada.

–Claro que pasa –se sentó en el sofá con cara de preocupación y Marcus se sentó a su lado–. Tenemos que hablar.

–No hay nada de qué hablar. Ya le he explicado todo a Cleo y lo entiende.

–Eso no es suficiente. Yo… no puedo seguir así.

–No quiero perderte. Todavía no.

–Está decidido –anunció sin mirarlo–. Pero quiero que sepas que han sido las semanas más felices de mi vida y que jamás te olvidaré.

–Dime que todavía podemos pasar una última noche juntos, que no te vas hasta mañana.

–No puedo –le puso la mano en la mejilla y lo miró a los ojos–. Lo siento.

Marcus se inclinó hacia ella para besarla, pero en ese momento volvieron a llamar a la puerta. Era Cleo otra vez, así que Marcus le dijo que pasara sin molestarse en soltar la mano de Vanessa.

–Perdónenme, pero pensé que querrían saber que acaba de llegar el coche de su padre. El rey ha vuelto.

Vanessa y Marcus maldijeron al unísono y se pusieron en pie de un salto al mismo tiempo.

–Ahora mismo bajamos –le dijo a Cleo.

Marcus terminó de vestirse lo más rápido posible. Le temblaban las manos y apenas podía pensar con claridad.

–¿Estás preparada? –le preguntó Marcus.

Vanessa lo miró unos segundos y meneó la cabeza.

–Yo tampoco –dijo él antes de estrecharla en sus brazos y besarla.

Fue un beso lento e intenso. Su último beso.

–Será mejor que bajemos.

Apenas habían llegado al vestíbulo cuando se abrió la puerta principal y apareció Gabriel. Vanessa esperaba verlo pálido y cansado, pero lo encon-

146

tró bronceado y con buena cara, como si hubiera estado de vacaciones y no cuidando de una enferma.

Al verlos a los dos sonrió. Se acercó a dar un abrazo a su hijo y después se volvió hacia Vanessa.

–Mi querida Vanessa –dijo, agarrándola de las manos–. Me alegro de verte.

Imaginaba un recibimiento más efusivo, pero agradeció que no fuera así porque habría sido muy incómodo que la hubiese besado apasionadamente delante de Marcus.

–Ayer cuando hablamos no me dijiste que pensaras venir –le dijo a Gabriel.

–Quería darte una sorpresa.

Y desde luego lo había conseguido.

Mientras le explicaba dónde estaba Mia, se fijó en que había algo raro en su comportamiento, como si estuviese nervioso, y nunca lo había visto nervioso. Sin embargo ahora que lo tenía delante, a ella le habían desaparecido los nervios. Solo se sentía triste porque lo respetaba profundamente y siempre le querría como amigo, pero se había enamorado de otro.

No podía posponerlo por más tiempo, tenía que acabar con aquella situación cuanto antes.

–Gabriel –le dijo con una sonrisa forzada–. ¿Podríamos hablar en privado?

–Claro. Podemos ir a tu habitación –se volvió hacia Marcus–. Discúlpanos, hijo.

Marcus asintió con evidente tensión. Estaba celoso, pero no podía hacer nada.

Mientras subían las escaleras juntos, Gabriel no la agarró de la mano, se limitó a hablar de banalidades, como habían hecho ya en las últimas conversaciones por teléfono.

Cuando llegaron a la habitación, Vanessa contuvo la respiración, temiendo que intentara besarla y se viera obligada a apartarlo; le horrorizaba la idea de tener que ser tan cruel con él. Por suerte no se acercó siquiera a ella, ni tampoco se sentó a su lado en el sofá, sino en la silla de enfrente.

Era obvio que estaba nervioso. ¿Le habría dicho alguien algo sobre ellos? ¿Qué iba a decirle si se lo preguntaba directamente?

¿Y si le pedía que se casara con él?

–Gabriel, antes de que digas nada, tengo que decirte yo algo.

–Y yo a ti.

–Yo primero –dijo ella.

–No, creo que es mejor que hable yo antes. Lo que tengo que decirte es bastante importante –dijo con cierta impaciencia.

–Lo mío también –también ella empezaba a impacientarse.

–Vanessa…

–Gabriel…

Y entonces hablaron los dos al unísono:

–No puedo casarme contigo.

Mientras veía a Vanessa alejarse con su padre, Marcus no pudo evitar preguntarse qué estaba ocurriendo. ¿Por qué no la había besado? ¿Por qué no la agarraba de la mano? ¿Por qué parecía tan… nervioso? Su padre nunca se ponía nervioso.

–Aquí hay algo extraño –dijo Cleo, a su espalda–. Pensé que la estrecharía en sus brazos nada más abrir la puerta.

–¿Estás pensando lo mismo que yo? –le preguntó Marcus.

–No quiere casarse con ella.

Marcus se disponía a salir corriendo tras ellos cuando Cleo lo agarró del brazo.

–Eso no quiere decir que no vaya a enfadarse –le advirtió.

Era cierto, pero cada vez que pensaba en la marcha de Vanessa sentía un dolor tan profundo en el pecho que tenía la sensación de que se le iba la vida. La idea de no volver a ver nunca más a Mia y a Vanessa le provocaba un pánico que apenas le dejaba respirar.

–Me da igual, Cleo. No puedo dejar que se vaya.

Cleo lo miró y sonrió.

–¿Entonces qué estás esperando?

Subió corriendo las escaleras y abrió la puerta de la habitación de Vanessa sin molestarse en llamar.

–Marcus –le dijo Vanessa–. ¿Qué haces aquí?

–Tengo que hablar con mi padre.

–¿Ocurre algo, hijo? –preguntó Gabriel frunciendo el ceño.

–Sí.

Vanessa se puso en pie.

—Marcus, no...

—Tengo que hacerlo, Vanessa.

—Pero...

—Lo sé —se encogió de hombros con resignación—. Pero tengo que hacerlo.

Ella volvió a sentarse como si ya no pudiese seguir luchando y se hubiese resignado a afrontar las consecuencias.

—Marcus, sea lo que sea, ¿no podemos hablar más tarde? Tengo que decirle algo importante a Vanessa.

—No, tengo que decírtelo ahora mismo.

Su padre miró a Vanessa antes de responder.

—Está bien —dijo, evidentemente molesto—. Habla.

Marcus respiró hondo y esperó que su padre intentara al menos comprenderlo.

—¿Te acuerdas cuando me diste las gracias por atender a Vanessa y me dijiste que podría pedirte lo que quisiera a cambio? —su padre asintió—. ¿Sigue en pie?

—Claro que sigue en pie. Soy un hombre de palabra, ya lo sabes.

—Entonces necesito que hagas algo por mí.

—Lo que sea, Marcus.

—Necesito que dejes a Vanessa.

Gabriel lo miró con cara de no entender nada.

—Pero... acabo de hacerlo. Le estaba diciendo que no puedo casarme con ella.

—No es suficiente. Necesito que te olvides de que alguna vez quisiste hacerlo.

–¿A qué viene esto, Marcus? ¿Por qué iba a hacer tal cosa?

–Para que pueda casarse conmigo.

Su padre abrió la boca de par en par.

–Me dijiste que en cuanto la conociera bien acabaría gustándome. Pues tenías razón, me gusta muchísimo –Marcus se volvió hacia Vanessa–. La amo con todo mi corazón.

Ella lo miró con los ojos llenos de lágrimas.

–Yo también te amo, Marcus.

Su padre aún no había podido reaccionar.

–Tienes que entender que ninguno de los dos queríamos que ocurriera y que intentamos luchar contra ello. Pero no pudimos evitarlo.

–Habéis tenido una aventura –dedujo su padre, tratando de entender lo sucedido.

–No es una aventura –aclaró Marcus–. Nos hemos enamorado.

Gabriel se volvió hacia Vanessa.

–¿Por eso no puedes casarte conmigo?

–Sí. Lo siento muchísimo. De verdad que no queríamos que ocurriera.

Su padre asintió lentamente mientras asimilaba la noticia.

Sorprendentemente, no parecía furioso, quizá estaba demasiado atónito como para enfadarse siquiera.

–Habíamos decidido no decirte nada –le explicó Marcus–. Ella iba a marcharse porque ninguno de los dos queríamos hacerte daño. Pero no soporto la idea de que se vaya. Ni ella, ni Mia.

Su padre siguió allí sentado, con la mirada clavada en el suelo y meneando la cabeza.

Marcus miró a Vanessa, parecía triste y aliviada al mismo tiempo, pero también preocupada. Él sentía lo mismo.

Era muy duro decirle algo así a su padre, pero habría sido peor tener que cargar con la mentira el resto de su vida.

–Di algo, por favor –le pidió–. ¿Qué piensas?

Por fin levantó la cara y lo miró.

–Supongo que es irónico.

–¿Irónico?

–Sí, porque yo también tengo un secreto.

–¿Por lo que no puedes casarte conmigo? –adivinó Vanessa.

Gabriel asintió.

–No puedo casarme contigo porque voy a casarme con otra mujer.

Por un momento Vanessa se quedó inmóvil, perpleja, pero entonces se echó a reír.

–¿Te parece divertido? –le preguntó Marcus.

–Desde luego es irónico –dijo ella–. Estaba tan concentrada en Marcus que no me di cuenta, pero de repente todo tiene sentido. Ahora comprendo por qué dejaste de llamarme por el Skype y las conversaciones se volvieron tan impersonales. Estabas enamorándote de ella.

–Me resultaba muy difícil mirarte a los ojos –admitió Gabriel–. Me sentía muy culpable y no quería hacerte daño.

–¡No sabes lo bien que te entiendo! –dijo Vanessa–. Para mí fue un alivio que no quisieras hablar por el Skype porque sabía que en cuanto me vieras, te darías cuenta de lo que había pasado.

Gabriel sonrió.

–Lo mismo pensé yo.

–Perdonadme –los interrumpió Marcus–. ¿Podría alguien decirme de quién te estabas enamorando?

–De tu tía Trina –le explicó Vanessa.

Marcus miró a su padre y supo de inmediato que era cierto.

–¿Vas a casarte con Trina?

Gabriel asintió.

–Me di cuenta de lo que sentía por ella cuando pensé que iba a morir.

Su tía y su padre siempre habían estado muy unidos, pero Marcus creía que era algo platónico.

–¿Antes de que mamá muriera, Trina y tú?

–¡No! Yo quería mucho a tu madre, Marcus, y sigo queriéndola. Hasta hace poco Trina para mí no era más que una amiga. No sé cómo ha ocurrido, ni qué cambió de pronto, pero supongo que lo comprenderás –explicó antes de dirigirse de nuevo a Vanessa–. Iba a contártelo y pedirte mil disculpas por haberte hecho venir hasta aquí con Mia, y por haberte hecho una promesa que no iba a poder cumplir. Gracias a ti pude volver a abrir mi corazón, algo que creía imposible hasta que te conocí. Pero creo que en el fondo siempre supe que nunca nos querríamos como deben quererse un marido y una mujer.

–¿Entonces no estás enfadado? –le preguntó Marcus a su padre.

–¿Cómo voy a estarlo si a mí me ha pasado lo mismo? Vosotros dos os queréis, pero ibais a renunciar a vuestro amor para no hacerme daño.

–Ese era el plan, sí –dijo Vanessa, lanzándole una mirada de reprobación a Marcus, pero sonriendo.

–No, no estoy enfadado. Además, no se me ocurre nadie mejor para mi hijo. Creo que a mi edad, prefiero ser el abuelo de Mia que su padre.

Marcus sintió de pronto que empezaba una nueva vida. Como si todo lo que había vivido hasta entonces no hubiera sido más que un ensayo. Era tan perfecto que por un momento no pudo evitar preguntarse si estaba soñando.

Alargó la mano para tocarle la mano a Vanessa y ella hizo lo mismo. En el momento que sus dedos se rozaron, supo que todo era real.

–Padre, ¿podría hablar un momento a solas con Vanessa? –le pidió.

Gabriel se levantó del sofá con una sonrisa en los labios.

–Tomaos todo el tiempo que necesitéis.

Apenas se había cerrado la puerta cuando Vanessa se echó en sus brazos.

Apretó la cara contra el pecho de Marcus.

Casi le daba miedo creer lo que estaba ocurriendo. Todo había salido bien. A pesar de haber hecho lo que no debía, había conseguido todo lo que siempre había deseado.

—¿Es posible que tengamos tanta suerte?

—No creo que la suerte haya tenido nada que ver —le dijo él, apretándola contra sí.

Se apartó solo un poco para mirarlo a los ojos.

—¿Por qué lo has hecho, Marcus?

—No soportaba la idea de perderos a Mia y a ti y, cuando vi el modo en que se comportaba mi padre, supe que había algo raro. Sabía que aun así podría enfadarse mucho, pero tenía que arriesgarme.

—¿Por mí?

—Claro —le puso la mano en la mejilla—. Te amo, Vanessa.

Ya se lo había dicho antes, pero hasta ese momento no se había permitido creerlo realmente para no sufrir tanto al marcharse. Pero de pronto la inundaron todos los sentimientos y las emociones que había estado conteniendo.

—Yo también te amo, Marcus. Sinceramente no imaginaba que se pudiera ser tan feliz.

—Bueno, ya nos acostumbraremos —bromeó al tiempo que la besaba—. Porque, si me aceptas, voy a dedicar el resto de mi vida a hacer que sigas siendo igual de feliz.

—Eso es mucho tiempo.

—Vanessa, necesitaría toda la eternidad para demostrarte cuánto te amo y cuánto te necesito.

—Me basta con tu palabra —le dijo con una enorme sonrisa.

—¿Eso quiere decir que vas a quedarte conmigo,

que vas a ser mi mujer y me vas a hacer el hombre más feliz del mundo?

En ninguno de los muchos lugares en los que había vivido había sentido que hubiera encontrado su hogar, pero estaba segura de que allí, en Varieo junto a Marcus y Mia, sería completamente feliz.

–Sí –dijo sin titubear, porque nunca antes se había sentido tan segura de algo–. Me quedo contigo para siempre.

En el lugar de su hermano
ELIZABETH LANE

Durante tres años, Angie Montoya había ocultado a su hijo a la familia de su difunto prometido... hasta que el hermano de este, Jordan Cooper, los encontró y exigió que se mudasen al rancho familiar en Santa Fe.

Abrumado por el sentimiento de culpa desde la muerte de su hermano mellizo, Jordan buscaba redimirse criando a su sobrino, pero Angie hacía renacer en él un deseo que solo ella podía satisfacer.

Jordan sabía que solo había una condición para que fuese suya: que nunca descubriese la verdad sobre él.

¿Cómo iba a vivir con el hombre cuyo único beso no había olvidado nunca?

Acepte 2 de nuestras mejores novelas de amor GRATIS

¡Y reciba un regalo sorpresa!

Oferta especial de tiempo limitado

Rellene el cupón y envíelo a
Harlequin Reader Service®
3010 Walden Ave.
P.O. Box 1867
Buffalo, N.Y. 14240-1867

¡Sí! Por favor, envíenme 2 novelas de amor de Harlequin (1 Bianca® y 1 Deseo®) gratis, más el regalo sorpresa. Luego remítanme 4 novelas nuevas todos los meses, las cuales recibiré mucho antes de que aparezcan en librerías, y factúrenme al bajo precio de $3,24 cada una, más $0,25 por envío e impuesto de ventas, si corresponde*. Este es el precio total, y es un ahorro de casi el 20% sobre el precio de portada. !Una oferta excelente! Entiendo que el hecho de aceptar estos libros y el regalo no me obliga en forma alguna a la compra de libros adicionales. Y también que puedo devolver cualquier envío y cancelar en cualquier momento. Aún si decido no comprar ningún otro libro de Harlequin, los 2 libros gratis y el regalo sorpresa son míos para siempre.

416 LBN DU7N

Nombre y apellido	(Por favor, letra de molde)

Dirección	Apartamento No.

Ciudad	Estado	Zona postal

Esta oferta se limita a un pedido por hogar y no está disponible para los subscriptores actuales de Deseo® y Bianca®.
*Los términos y precios quedan sujetos a cambios sin aviso previo.
Impuestos de ventas aplican en N.Y.

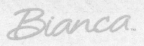

Aquel magnate tenía una norma innegociable

A Daisy Connolly, la combinación irresistible de una fiesta nupcial, champán y la química con Alex Antonides la había llevado a pasar un increíble fin de semana con él en la cama de consecuencias inolvidables. Hacía tiempo que aquel griego tan sexy se había ido y le había roto el corazón.

Así que, cuando el despiadado Alex volvió a aparecer en su vida, Daisy decidió alejarse para no sufrir. Tenía que hacerlo porque tenía un hijo de cinco años del que no quería que supiera nada. Pero el heredero Antonides no podía permanecer oculto para siempre.

Normas rotas

Anne McAllister

Un baile con el jeque
TESSA RADLEY

Una escapada inesperada y llena de pasión a Las Vegas con un jeque era algo impensable para la sensata Laurel Kincaid. Siempre había hecho lo que se esperaba de ella y eso le había generado un estrés tremendo. Por eso decidió ceder a la tentación y marcharse a Las Vegas con el atractivo Rakin Whitcomb Abdellah.

Rakin era tan irresistible que cuando le pidió que se casara con él para poder recibir su herencia, le dijo que sí. Lo que ninguno de los dos esperaba era

que ser marido y mujer fuese tan excitante, y de pronto las reglas de ese matrimonio de conveniencia empezaron a parecerles un estorbo.

Nunca una escapada
tuvo tales consecuencias

¡YA EN TU PUNTO DE VENTA!